PsychoZe

DU MÊME AUTEUR

Deux et deux, Planète rebelle, 2000.

Une mère, Pleine Lune, 2008.

Drag, Tryptique, 2011. Finaliste du prix Marcel-Thiry de la ville de Liège

Utop, Tryptique, 2012.

Chinetoque, Tryptique, 2013.

Schizo, Tryptique, 2014.

CHEZ LE MÊME ÉDITEUR

Marie Cardinal, *L'inédit,* roman, 2012.

Juan Joseph Ollu, *Un balcon à Cannes,* nouvelles, 2012.

Monique Lachapelle, *L'origine du monde,* roman, 2014.

Stéphane Lefebvre, *Infidélités,* roman, 2015.

MARIE-CHRISTINE ARBOUR

PSYCHOZE

ROMAN

AP Annika Parance Éditeur

AP Annika Parance Éditeur
1043, rue Marie-Anne Est
Montréal (Québec) H2J 2B5
514 658-7217
apediteur.com

Photographie de la couverture : Monick Lanza
Dessin de la page de garde : Lætitia Giraud
Révision : Fleur Neesham

Catalogage avant publication de Bibliothèque et Archives nationales du Québec et Bibliothèque et Archives Canada

Arbour, Marie-Christine, 1966-
PsychoZe
ISBN 978-2-923830-34-6
I. Titre.

PS8551.R28P79 2016 C843'.54 C2015-942595-6
PS9551.R28P79 2016

Annika Parance Éditeur remercie la Société de développement des entreprises culturelles du Québec (SODEC) pour son soutien financier.

Dépôt légal — Bibliothèque et Archives nationales du Québec, 2016
Dépôt légal — Bibliothèque et Archives Canada, 2016

ISBN PAPIER 978-2-923830-34-6
ISBN E-PUB 978-2-923830-36-0
ISBN PDF 978-2-923830-35-3

On dit qu'à force d'ascèse certains bouddhistes parviennent à voir tout un paysage dans une fève.

Roland Barthes, *S/Z*, Les éditions du Seuil, 1970

L'APPARITION

Il est vrai que les choses ont changé de texture : la matière vibre et le sol semble onduler. De plus, même le jour, il y a une étrange atmosphère nocturne, comme si le Soleil lançait une lumière noire. Marie-Christine ne sait pas s'il faut imputer cette étrangeté à un défaut de perception ou à un phénomène physique. L'univers va-t-il à la dérive ?

De plus, elle ne cesse de faire des cauchemars où Montréal est engloutie sous l'eau.

Elle soupçonne que le monde vit une grande mutation.

« Comme nos voix, ba da ba da, da ba da ba da », chantonne-t-elle avant de s'endormir.

Apparaît devant elle une image : c'est un vieil homme barbu qui ressemble à une icône. Elle est perplexe : elle ne croit pas en Dieu, mais ce personnage répond aux descriptions que l'on fait de lui en général. Puis l'homme commence à parler. Elle voit ses lèvres remuer.

— Je suis le Grand Zorg. Et je suis ici pour t'aider.

Elle ne peut que poursuivre cette étrange conversation.

— M'aider en quoi ?

— À combattre les NaZ, avec un z majuscule.

— Mais qui sont-ils ? demande-t-elle en faisant fi de l'irréalité de la situation.

— Ils sont les émissaires du Mal. Ils comptent éliminer les Judéioformes. Ils s'en prennent à des gens comme toi.

Au même moment, le téléphone sonne.

Elle répond après avoir hésité.

— Oui ?

Un long silence la laisse perplexe.

— Oui, oui.

Elle raccroche en se disant que l'interlocuteur est sans doute un blagueur qui aime entendre les gens balbutier. Entre-temps, le Grand Zorg a disparu. Il n'y a que le spectacle habituel du grand érable se déployant devant la fenêtre.

Elle se fait un thé, question de retrouver son calme. Elle décide de ne parler à personne de cette étrange vision. Elle s'empare de cette Bible jadis achetée à rabais et elle lit le passage sur l'Apocalypse. Des anges claironnent la fin de l'humanité et elle ne peut que frissonner. Elle a pourtant un esprit logique. Après tout, elle fait une maîtrise sur le fameux essai de Roland Barthes intitulé *S/Z*. Mais elle n'a écrit que quelques lignes. « Hommes et femmes ne cessent d'échanger leurs masques », a-t-elle commencé.

Demain, il y a cours. Les autres étudiants ont l'œil dur. Quelquefois, elle croit être une intruse dans le monde des idées. Avec peine, elle s'efforce de faire des commentaires pertinents. Mais, se dit-elle, la connaissance n'est peut-être qu'une forme déguisée de l'ignorance.

Et elle se couche en s'attendant à faire des cauchemars.

LE TEMPS PERDU

ZOÉ CONCLUT SON EXPOSÉ en affirmant que la prose de Jean Genet est comme de la dentelle. « Bien », dit le professeur en tapotant sur la table avec son crayon. Marie-Christine sait que c'est à son tour de parler. Elle se redresse sur sa chaise.

— Genet était peut-être réellement un saint.

Certains toussotent. Le professeur fait une pause avant de dire :

— Peut-être poussez-vous trop loin les choses, Marie-Christine.

Marie-Christine est distraite. Elle pense au Grand Zorg. Qu'était-il ? Une vision ? Un être ? Et qui sont ces NaZ ? Cette fille qui pianote sur son ordinateur portable est-elle une NaZ ? Pour cacher son trouble, elle baisse la tête avec une déférence feinte.

Zoé l'invite à nouveau à prendre un pot après le séminaire. Elles se retrouvent dans un petit bistrot de la rue

Sainte-Catherine. Marie-Christine sait que Zoé la courtise. Elle aime cette attention, même si elle est une hétérosexuelle malheureuse. Marc l'a quittée il y a déjà six mois en disant : « Je n'aime de toi que ton oreille droite, celle qui perçoit les mots. Mais ton oreille gauche évacue les fantasmes. Tu ne comprendras jamais rien à l'amour. » Il est vrai qu'elle n'écoutait plus Marc qui parlait de systèmes géométriques étranges. Comment peut-on passer son temps à tout calculer ? se demandait-elle. Puis, il y a quelques jours, elle a vu Marc en compagnie d'une grande femme androgyne. Elle s'est souvenue qu'il écrasait sa poitrine en déclarant : « Tu serais mieux sans cela. » Elle tient à son corps de femme. Elle se console en se disant qu'elle n'est pas un castrat comme la Zambinella, le personnage central de la nouvelle de Balzac que Barthes décortique dans *S/Z,* une étude singulière saluée, entre autres, par Georges Bataille. C'est l'histoire d'une méprise terrible. Un jeune artiste, Ernest-Jean Sarrasine, tombe éperdument amoureux de cette Zambinella, persuadé qu'elle est une femme et dont il découvrira qu'elle est en fait un castrat. Sa passion le tuera. Mais moi, je suis vivante et entière, se dit Marie-Christine. Peut-être que Marc ne tolérait pas sa féminité.

Pourtant, elle a ressenti un grand vide après le départ de Marc. Elle s'ennuyait de ses longues tirades sur la beauté des nombres. Surtout, elle désirait encore ce visage parfait : Marc avait tout d'un Apollon.

Seule, seule et forte, se répète-t-elle.

Zoé ne semble pas remarquer que Marie-Christine est perdue dans ses pensées. Elle commande deux bières et elle se renverse sur sa chaise en déclarant :

— Oui, j'ai feuilleté un magazine de mode. J'ai failli à mes obligations de théoricienne. J'ai lu un article sur la légalisation de la prostitution. Qu'en penses-tu ?

— Je crois que les corps n'ont aucune appartenance.

— Donc tu es pour ?

— J'ai vu les vitrines à Amsterdam. Non, je suis contre. Une prostituée noire aux jambes couvertes de bleus m'a presque fait pleurer. Ainsi va le martyre de nos jours.

— Tu sais que je me vends. Tu crois que je vis un calvaire ?

— Peut-être.

— Moi, je stipule que les femmes devraient se donner aux femmes. Il n'y aurait plus d'oppression, seulement de la coopération.

Zoé se prostitue pour faire comme Nelly Arcan, dont elle a lu tous les livres. Et elle prétend que le seul défaut de Nelly Arcan était son penchant pour les hommes. Zoé fait du pied à Marie-Christine, qui ne s'en offusque pas. Si elle était un homme, elle dirait à Zoé de changer de nom, de choisir Odette, par exemple. Elle regarde distraitement par la fenêtre. Une jeune prostituée accoste un homme. C'est si vénal, se dit-elle.

— Mais Barthes s'est insurgé contre les dogmes, dit Marie-Christine.

— Toi et ton Barthes ! réplique Zoé en passant sa main dans sa chevelure oxydée.

Marie-Christine boit une gorgée de bière en pensant au Grand Zorg. Selon Barthes, Z comme dans Zambinella est la lettre de la mutilation, de la castration. Mais pour Marie-Christine, c'est aussi la lettre du nivellement : il y a peut-être beaucoup d'avantages à effacer le sexe. Elle ne peut réprimer cet élan qui la pousse à se confier.

— Je vois des choses, commence-t-elle.

— C'est que tu as besoin de compagnie. Quand on est si isolé, même les murs ont un visage.

Marie-Christine décide de se taire. Si elle parlait de ses cauchemars de destruction, Zoé lui dirait sans doute que l'eau est le symbole de la mère toute-puissante.

— Bon, j'y vais, déclare-t-elle.

Zoé lui prend la main.

— À plus, se contente-t-elle de dire.

Marie-Christine se dirige vers l'ouest. Son petit appartement situé près du magasin de l'Armée du Salut est son seul point de repère. Elle a une vie de pauvre. Et, étrangement, l'arrivée du printemps la démoralise.

Elle verrouille la porte, puis va s'étendre sur son futon. Voilà que le Grand Zorg apparaît à nouveau. Elle entend sa voix amène.

— Tu dois combattre le Mal.

Elle décide de répondre. Tant pis si je déraille, se dit-elle.

— Mais le Mal ne nous pousse-t-il pas à faire le bien ?

— Le Mal, c'est la dénaturation.

Elle hésite à poursuivre cette conversation.

— Qu'est-ce que la nature, Grand Zorg ? N'est-ce pas le chaos qu'on ne peut dominer ? dit-elle après un long moment.

— C'est le respect d'une norme.

— La norme est bien relative.

— Elle est pourtant nécessaire. Et les NaZ essaient de détruire le monde tel que nous le connaissons.

— Et si je refuse de me battre ?

— Tu te battras.

Elle regarde le vieil homme à barbe blanche. Elle comprend qu'il ne parlera plus pour le moment.

Elle se lève et va devant son unique miroir, dans la salle de bains. Voilà qu'apparaissent des petits personnages qui entourent son visage. Elle croit ressembler à une vierge médiévale entourée d'angelots.

— Qui êtes-vous ? crie-t-elle.

Il n'y a que le silence.

C'est alors qu'elle ressent une grande lourdeur. Elle va s'étendre. Elle a l'impression d'être prisonnière d'une tornade.

Et elle s'endort la main sur la poitrine.

L'IMMOBILITÉ

ELLE RESTE COUCHÉE PENDANT TROIS JOURS. La soif la tenaille. Elle a le sentiment de traverser un désert.

Puis, au quatrième jour, elle se lève avec difficulté et va se désaltérer au robinet.

L'image du Grand Zorg clignote devant la fenêtre. Elle pense au temps qui passe. Et elle se reproche de ne pas avoir abattu plus de travail.

Elle va allumer son ordinateur. Elle ignore ses courriels. Elle lit la dernière phrase qu'elle a écrite. « L'être humain est surtout une construction sociale. » Cette assertion la laisse indécise. Les absolus existent-ils ?

Elle s'assied en indien devant ses livres ouverts. Elle lit des phrases au hasard. Elle s'avoue qu'elle ne sait plus que penser.

Elle se lève et va se servir un grand verre de vin. L'ivresse lui donnera du courage.

Puis elle met de la musique : Beethoven, qui la requinque. Elle se détend. Comment a-t-il pu composer une fois devenu sourd ? Elle-même croit être dépourvue d'un sens fondamental.

Mais voilà que le Grand Zorg parle.

— Tu iras dans la ville, mais avant tu dois t'initier à l'immobilité, entend-elle.

Elle va donc de nouveau s'étendre. Les murs ont rosi. D'où vient cette impression que ses membres ne lui obéissent pas ?

Elle se retourne sur le ventre, posture des enfants heureux.

Elle sursaute. Elle a encore rêvé à des villes détruites par des inondations.

Le Grand Zorg est assis devant elle et il tient cette fois un bâton. Cette vision la réconforte. Pourtant, elle ne croit toujours pas en Dieu : pour elle, il demeure une invention. Elle est toutefois prête à obéir à ce drôle de personnage. Au fond, elle n'a rien à perdre.

Elle retourne devant le miroir. Les petits personnages entourent son visage. Comme dans un livre d'images, se dit-elle.

Tout cela sera son secret à elle, décide-t-elle. Il faudra néanmoins retourner à l'université demain et agir normalement.

LA PROFESSEURE

CHAQUE FOIS QU'ELLE ENTRE DANS CE BUREAU, elle croit s'enfermer dans un confessionnal. La docteure Kathy

Samson l'observe avec des yeux perçants. C'est une femme d'un certain âge qui ne supporte pas l'ignorance. Elle a l'habitude de regarder Marie-Christine par en dessous. Samson, sans son, quel drôle de nom pour une femme qui a comme métier, entre autres, de parler.

— Alors, ça avance ? demande Kathy Samson en replaçant ses lunettes de lecture.

Elle a des cheveux teints en blond coiffés à la mode, un visage lourdement fardé, de longues mains qu'elle agite avec ostentation, sachant sans doute qu'elles sont belles, ce qui intimide Marie-Christine, dont les mains sont courtes et charnues, à dissimuler.

— Je n'ai écrit qu'une page, un début d'introduction. Je compte parler de la dissimulation sémiotique contrebalancée par le dévoilement logique. Or, comme on le sait, la lettre S dans Sarrasine est phonétiquement identique au Z, le Z qui, selon Barthes, désigne la castration. Pourtant, on ne sait pas qui est véritablement castré. De plus, la femme devient une parodie dans la nouvelle de Balzac.

— Bien, bien. Mais il ne faut pas pousser trop loin le féminisme. Et rappelez-vous que le structuralisme est un peu dépassé aujourd'hui.

— Mais dans *S/Z,* Barthes utilise plusieurs approches, je dirais même qu'il a tout d'un visionnaire.

Marie-Christine ose regarder le visage flamboyant de la docteure Samson et elle ressent un malaise. Est-ce une création robotique ? Sont-ce des yeux de machine ? Elle détourne la tête et fixe le mur blanc. Elle se demande pourquoi le Grand Zorg n'apparaît que lorsqu'elle est chez elle. Elle aimerait qu'il soit là. Au fond, songe-t-elle, toute croyance se raisonne. Et qui sont ces NaZ ? Des mécréants dont le pouvoir de destruction n'a d'égal qu'un désir pervers ? D'ailleurs, la docteure Samson ne serait-elle pas une sorte de sadique qui s'amuse à reformuler la vérité ?

Elle quitte le bureau de sa professeure avec la conviction de ne pas pouvoir formuler un seul mot. À la suite de ces entrevues, elle a généralement la tête vide, mais cette fois-ci, elle éprouve quelque chose de nouveau : la peur, tout simplement, la peur enfantine des monstres et du noir.

Dans le métro, elle ne s'assied pas : elle a l'audace de faire face à la vitre de la porte. Elle aperçoit son visage las : elle constate qu'elle n'est plus exactement jeune. Avoir trente ans est soit un sacre, soit une condamnation. Elle regarde autour d'elle : des visages imperturbables tres sautent tandis que le train accélère. Et il y a tous ces yeux qui ne semblent rien voir. Des yeux de bête, se dit Marie-Christine, qui doit s'empêcher de sortir en courant. Qui sont tous ces gens ? Et de quel droit existent-ils ?

À la station Guy-Concordia, elle se précipite sur le quai, persuadée d'être en danger. C'est en s'élançant dans la nuit qu'elle retrouve la conviction d'être vivante. Lorsqu'elle insère la clé dans la serrure, elle est sûre d'entrer dans un autre monde.

Elle s'étend sur son futon, épuisée. Le Grand Zorg flotte devant la fenêtre. Il se tait pour l'instant. Elle aime sa posture un peu voûtée d'homme humble.

— Marie-Christine, entend-elle enfin. Tu dois combattre les NaZ. Tu vas entrer dans ta vingt-cinquième heure.

Elle écoute le Grand Zorg de toutes ses forces. Elle pense au schéma de Propp. Oui, elle deviendra une héroïne en quête de vérité. Être un protagoniste dans un drôle de conte la tente. Au fond, elle n'a rien à perdre : sa solitude est telle qu'elle croit s'être désincarnée.

— Oui, je vais faire la guerre, promet-elle au Grand Zorg.

À ce moment, le téléphone sonne. Lorsqu'elle répond, elle ressent un choc.

— Oui, dit-elle en tremblant.

— ...

— Oui. Allo ?

— Vous êtes bien Marie-Christine Arbour ? dit enfin une femme en roulant les r.

— Oui, continue-t-elle.

— Je suis de l'Association psychiatrique du Canada. J'aurais un questionnaire à vous faire remplir. Vous sentez-vous touchée par la maladie mentale ?

— Oui, comme tout le monde, enfin pas personnellement, répond-elle le souffle court.

— Êtes-vous sûre ?

— Oui tout à fait, mais comment avez-vous eu mon numéro de téléphone ?

— Nous faisons un sondage et nous avons choisi votre numéro au hasard. Vous allez bientôt recevoir le questionnaire.

— Bien... commence-t-elle.

La femme a déjà raccroché.

Elle prend une grande inspiration et finit par se calmer. Au fond, ce n'est pas la première fois qu'on la sollicite pour un sondage. Elle pourra bien jeter le formulaire au panier. Oui, elle est libre de faire comme bon lui semble.

Elle va devant le miroir et voit les petits personnages, si jolis. Lorsqu'elle tente de les toucher, ils s'évanouissent.

— Tu as des amis. Il faut les trouver, entend-elle.

C'est une nouvelle voix, une voix de femme, douce, sereine.

Elle se sert du vin et se poste devant la fenêtre. Le Grand Zorg est là, tout près d'elle. Elle se détend peu à peu.

Et elle décide de dormir, car dans le sommeil se mêlent le vrai et le faux.

Elle se réveille en sursaut. Dans son cauchemar, un homme au visage grimaçant se promenait devant elle, nu, en tenant un sablier qu'il ne cessait de retourner. « Tu vas mourir », a-t-il déclaré.

L'homme ressemblait au propriétaire de l'immeuble dans lequel elle vit, un dénommé Rob Platz, un drôle de type à l'air pincé. Rob porte des verres épais, ce qui lui donne l'allure inquiétante d'un pervers. Chaque fois qu'elle lui remet le chèque du mois, il sourit, d'un sourire sinistre : il a sans doute pour l'argent une dévotion malsaine.

Elle appellerait volontiers Marc pour l'entendre dire : « Il y a plus de variables que de constantes dans la vie des hommes. »

Mieux : elle étreindrait un homme, n'importe lequel.

Elle a promis de se rendre à une réunion d'étudiants en fin d'après-midi. Même si elle n'est pas à l'aise dans cette foule pétulante et snob, elle décide de faire acte de présence, histoire d'entendre des gens parler.

FUIR FRITZ

CETTE FOIS, C'EST CHEZ FRITZ TÜR qu'on se rencontre. Fritz est vêtu, même s'il fait frais, d'un short révélant ses cuisses bombées et il se vante de traverser la ville à vélo tous les jours. Il fait une thèse de doctorat sur Nietzsche, qu'il lit en allemand. Il ne cesse de dire que les derniers des hommes sont arrivés, que le monde va changer, qu'une grande purification ne serait pas une mauvaise chose. Il y a une dizaine de personnes qui sont installées sur des divans luxueux. Marie-Christine est arrivée la dernière. Elle doit combattre une sensation d'étouffement. Elle s'assied en hochant la tête. On parle à bâtons rompus. « La mère castre le fils... Mais Proust aimait sa mère... Exister c'est s'étioler... Mourir nous tire en réalité de notre misère... Il est dans l'essence de l'homme de douter... Non, nous ne jouons pas aux dés... Mais la franchise intellectuelle ne se peut pas... Oui, en effet, le mensonge est d'or... La tristesse ne peut que mener au bonheur... »

Elle n'ose pas bouger. Elle hésite à parler de peur de dire des inepties. Elle mûrit une réplique et lance enfin : « La vérité est une illusion. » Fritz se redresse en lançant : « Marie-Christine est notre mystique de rechange. D'ailleurs, voudrait-elle un verre de blanc ? » Elle accepte, car en se saoulant on efface souvent l'indécision. Fritz pose devant elle un grand verre où semble se concentrer toute la lumière de la pièce. Elle hésite un moment, se sentant observée, une impression désagréable, comme si elle allait accomplir un geste important. Lorsqu'elle porte le verre à ses lèvres, le silence se fait. Elle avale une grande gorgée. Et tout en elle ralentit. Pire : son corps se désarticule. Elle se lève brusquement afin de contrer l'engourdissement. Elle s'excuse, mais sa bouche est si pâteuse qu'elle peut à peine articuler des mots. Elle se précipite vers la salle de bains. Elle ferme la porte et s'efforce de respirer. Le miroir lui renvoie l'image d'une femme aux yeux exorbités dans un visage aux contours flous. Y avait-il une drogue dans ce vin ? Elle ne saurait dire, mais son corps est devenu anormalement inerte. Elle ne pense qu'à fuir. Elle s'engage dans le couloir. Une lacanienne, qu'elle voit souvent dans les soirées, l'intercepte en souriant méchamment. « Tu dois avoir mal d'être toi », dit-elle. « Oui, non, bien, j'y vais », réussit à articuler Marie-Christine. Elle s'esquive jusqu'à la porte, Fritz à ses trousses, Fritz qui crie presque : « Le vin est bon, car il nourrit l'illusion. »

Elle ne se retourne pas et continue de marcher à toute allure. Ces sourires étaient comme des rictus. Elle voit une femme au large postérieur accroupie devant une haie et qui manie un sécateur. Elle voudrait passer son doigt sur la lame brillante. Mais elle continue de marcher en répétant intérieurement : trois petits tours et puis s'en vont.

Lorsqu'elle rejoint enfin son appartement, elle doit croiser Rob, qui musarde dans le vestibule. À l'idée de le voir nu, elle a la nausée. Sans rien dire, elle passe devant lui. Elle l'entend dire : « Vous êtes bien pâle. Mourrez-vous ? » Elle s'arrête, se retourne et réplique : « Je suis lasse. » Il sourit et ne fait que répéter cette même phrase qu'il débite lorsqu'il recueille les chèques : « Thèse, antithèse, conclusion. C'est Hegel qui tire les fils qui nous remuent. » Rob se vante en effet d'avoir fait des études de philosophie. Elle ne peut pas supporter ce regard d'un bleu métallique qui la sonde.

Elle monte les escaliers et ferme la porte discrètement. Son corps est toujours gourd. Elle tente d'analyser l'incident la tête froide. Elle ne peut pas être certaine que le vin était drogué, pourtant elle a été sur le point de s'effondrer. Avec son obsession pour *S/Z*, fait-on d'elle une victime qu'il faut malmener comme Sarrasine ? A-t-on cherché à la punir ?

Le Grand Zorg est apparu. Cette vision la rassérène.

— Dis-moi, a-t-on voulu me faire du mal ? demande-t-elle à l'image.

L'icône demeure silencieuse.

— Et Fritz est-il un NaZ ? insiste-t-elle.

Là encore, pas de réponse.

Elle réfléchit. Les nazis étaient fascinés par l'ésotérisme, surtout l'hindouisme. Et Tür veut dire « porte » en allemand. Désigne-t-il une entrée dans un autre monde ? Est-elle, comme Shiva, enfermée dans un cercle qui n'a ni début ni fin ?

Elle se convainc d'appeler la police.

Le flic arrive au bout d'une demi-heure, engoncé dans son costume moulant, avec, attaché à la hanche, son magnifique revolver. Il demeure debout même si elle pousse une chaise devant lui. Il se dresse avec la majesté d'un homme qui pisse. Elle débite son histoire : sa fascination pour *S/Z*, l'amoralité de Fritz Tür, qui prône la terreur en disant des choses comme « Il faut éliminer les plus faibles », puis il y a eu ces yeux qui se sont tournés vers elle, les visages étaient narquois, elle en est sûre, et le vin avait un drôle de goût.

— Peut-être la drogue du viol. Mais pour le confirmer, il faut un test sanguin moins de deux heures après l'incident. Vous ne pouvez que déposer une plainte. Je vous laisse écrire.

Il lui tend un formulaire qu'elle remplit de la façon suivante : « Ai été là. Ai vu les autres. Ai à peine parlé. Ils étaient douze, la Cène en bref. Fritz tenait le rôle de Jésus, j'en suis sûre. Il m'a servi le vin. Ai bu et me suis sentie tomber. Gestes ralentis. Ai fui. Ai toujours été une étrangère parmi les autres. Pourquoi m'en veut-on ? »

Elle relève la tête et ajoute :

— Ils étaient peut-être des sortes de nazis.

Le flic semble réfléchir et explique :

— Il n'y aura sans doute pas de suite à votre plainte. Mais nous la garderons en dossier. Si nous recevons une autre plainte du même genre, nous pourrons passer à l'action. Eh oui, la loi est ainsi faite. Et de nos jours, les gens n'ont plus peur de Dieu. Faites attention à vous.

Il hoche la tête, pose la main sur son revolver luisant et fait volte-face. Elle le trouve beau, avec ses yeux noirs et ses cheveux coupés en brosse. Elle se déhanche, même si elle sait qu'elle ne réussira pas à le séduire. Elle le regarde s'en aller et elle doit s'empêcher de crier « Revenez ! »

Elle ne peut résister au besoin de se servir du vin rouge, rouge comme le sang. L'âpreté lui écorche la langue. Ce faisant, elle réfléchit : l'idéal serait de continuer à agir normalement avec les autres. Elle ne veut pas qu'on fasse d'elle une hystérique.

Elle s'étend et le Grand Zorg paraît à nouveau.
— Tu es en danger, dit-il.
— Mais ce flic n'était-il pas un allié ? reprend-elle.
— Attention. Il faut se méfier de tout le monde. Les NaZ ont infiltré toutes les infrastructures sociales. Mais tu as des amis. À toi de les trouver.
Il se tait à nouveau.
Elle fait encore un rêve d'eau, mais cette fois, un homme aux cheveux noirs et au regard gris lui tend la main. Elle croit tomber dans un gouffre.
Elle ne veut pas cesser de rêver.

TRIMBALLER SON ÂME

ELLE S'INITIE À UN NOUVEAU JEU INTELLECTUEL qui a trait à la connaissance. En bref, elle sait qu'ils savent, mais elle fait comme si elle ne savait pas. Chaque fois que le téléphone sonne, elle sursaute, s'attendant à un coup de fil de Fritz. Elle est prête à lui dire : « J'étais épuisée », ce qui n'est pas faux puisqu'elle s'échine depuis un an à écrire un mémoire dont la portée lui échappe. Elle biffe au fur et à mesure des phrases comme « L'identité sexuelle n'est pas un absolu » ou « Le bien-être lexical s'accompagne d'un malaise métaphysique » ou « On ne sait choisir entre la jubilation linguistique et l'épuisement idéologique ».

Elle craint maintenant le métro. Et si on s'attaquait à elle dans un lieu public ? Les avertissements du Grand Zorg l'angoissent. De plus, elle est désormais acculée à envisager l'existence du sacré. Pour elle, le sacré culmine dans la mort. De plus, le sacré ne vient pas sans bêtise : elle s'est toujours moquée des gens crédules. Mais le corollaire du sacré est l'existence de l'âme. À l'idée qu'une partie d'elle soit éternelle, elle frémit. Et la vie, c'est peut-être cela : une épopée où chacun trimballe son âme. Mais elle ne peut nier la raison qui la pousse à analyser la situation. Un : le Grand Zorg n'est peut-être qu'un personnage fictif. Deux : le vin n'était pas drogué. Trois : le flic, en parlant de la peur de Dieu, a voulu la terrifier. Même les flics s'ennuient. Quatre : elle est effectivement trop seule.

Elle descend dans le métro sur des jambes flageolantes. Elle décide de s'asseoir et de se plonger dans la lecture de Proust. Car on lui a souvent reproché de ne pas avoir lu en entier *À la recherche du temps perdu*. Mais elle ne fait que relire la même phrase. Le train arrive enfin. Elle se lève et entre dans le wagon. Elle reste debout. Devant elle, un homme vêtu d'un complet gris la fixe avec impudence. Regard sans aménité, regard de pierre : elle essaie de l'ignorer. Il se tend subitement, comme s'il s'apprêtait à donner un coup. Et voilà qu'elle chancelle. Elle est près de s'évanouir. Elle croit respirer un gaz mortel. Elle pense aux Juifs dans les douches. Dès que les portes s'ouvrent, elle se précipite sur le quai en courant. Elle réussit à combattre l'évanouissement. Elle s'arrête enfin devant le pavillon universitaire et s'allume une cigarette. Elle réfléchit. A-t-elle tout imaginé ? En inhalant la fumée, elle réussit à chasser l'angoisse. Elle conclut que l'homme, de façon maladroite, cherchait peut-être à la séduire. Mais pourquoi était-elle sur le point de s'évanouir ?

Elle réussit à se rendre à la salle de classe du séminaire. Huit têtes se tournent vers elle. Zoé est là, elle a sans doute pris de la drogue, car son regard est brillant.

— Tu n'es pas restée longtemps chez Fritz, dit une des étudiantes sur un ton de reproche.

— C'est le vin. Je n'ai pas supporté le vin, juge-t-elle bon d'expliquer en sentant ses mains devenir moites.

Elle n'a qu'une image : celle de son corps ravagé par d'obscures caresses. Et si on avait en réalité cherché à la violer ? Elle repousse cette idée en se disant : voyons, voyons, je n'ai rien d'une beauté.

Elle s'assied et ouvre son cahier. Elle n'a jamais réussi à prendre des notes à l'aide de son ordinateur. De toute manière, écrire la détend.

Le professeur arrive et il commence à donner son cours avec son habituel air tragique. Il est question de méthodologie. Marie-Christine se débat justement avec la forme de son mémoire. Mais elle ne réussit pas à écouter cette voix presque métallique. On étouffe ici, comme si on était enfermé dans une cellule.

Zoé l'accoste après le cours, Zoé dont le livre de chevet est *Putain*. Aujourd'hui, elle est vêtue d'un tailleur noir trop ajusté, beaucoup trop chic pour les circonstances. Elle entraîne Marie-Christine en disant : « Toi, tu as besoin d'une bière. »

Elles retournent à leur bistrot habituel. Zoé parle à bâtons rompus, ce qui soulage Marie-Christine, qui ne se sent pas capable de formuler une seule pensée. Le serveur leur sert des demis. Elle regarde la bière en se demandant si elle est empoisonnée. Avec l'impression de sauter dans un gouffre, elle en boit une grosse gorgée. Heureusement, elle ressent l'effet escompté. Une certaine langueur la décrispe. Et, enhardie par l'ivresse, elle ose se confier.

— Zoé, que ferais-tu si tu voyais des choses que personne d'autre ne voit ?

Zoé semble réfléchir et dit :

— Je croirais être une élue. Les visions n'ont-elles pas guidé le Christ ? Et, en fait, la réalité est banale. Si tu voyais mes clients ! Nus, ils sont comme des animaux. Dire qu'on exige des femmes qu'elles soient jolies ! Foutaise phallocentrique ! Je hais mes clients ! Mais la haine me donne de la force. Et toi, ta force te vient d'où ?

Marie-Christine sait qu'elle ne peut pas tout avouer. Le Grand Zorg ne lui a-t-il pas enjoint de se méfier de tout et de tous ?

— Ma force, c'est la logique, dit-elle enfin. Marc m'a souvent dit que j'aurais dû devenir mathématicienne. Mais j'ai besoin des mots. Les mots sont des symboles aussi, mais ils désignent une réalité tangible. Ils sont à la fois mes amis et mes ennemis. C'est sur un pied de guerre que j'écris.

— Et tu crois à la guerre ?

— Oui. Elle est là, dans nos têtes. Et sait-on jamais, il y a peut-être encore des nazis qui s'apprêtent à détruire le monde.

— Ah, les fameux nazis ! Ils aimaient les putes. Peut-être m'auraient-ils couverte de fourrures.

— Mais en te vendant, tu joues un jeu dangereux. C'est ton être que tu risques de brader. Crois-tu à l'âme ?

— Oui. Non. Je ne sais plus. C'est sans doute la partie de moi qui ne s'abîme pas.

— C'est peut-être ça, en effet.

— Tu penses trop. Tu devrais t'amuser un peu, te prendre un amant ou une amante, t'éclater quoi.

— Je ne sais pas si j'en suis capable. L'amour, c'est de la barbarie.

— Oublie l'amour. Le sexe, c'est bien mieux.

— Je vis une grande panne de désir. Et je ne suis pas un homme. Si j'étais un homme, je serais un Ernest-Jean Sarrasine. Oui, je tomberais amoureux d'un beau castrat comme la Zambinella.

— Toi et ton *S/Z* !

Marie-Christine se tait. Heureusement, Zoé dissipe le malaise en se levant.

— Bon, j'ai un rendez-vous. À plus, lance Zoé en replaçant d'un geste ostentatoire la bretelle de son soutien-gorge.

Marie-Christine finit sa bière d'un trait et s'engage sur la rue Sainte-Catherine. La lumière est étrange, une lumière presque mauve. Elle a l'impression d'avancer dans un mirage. Elle voit un homme élégant entrer dans un sex-shop. Personne n'y échappe. Au fond, il n'y a que le sexe, se dit-elle. Elle continue de marcher et croise une femme qui pousse un chariot où trône une oie. Sur une pancarte, il est écrit : « L'avenir pour cinq dollars. » Marie-Christine tend l'argent à la femme. L'oie bat des ailes.

— Ah, c'est signe d'amour ! Vous allez rencontrer un homme, déclare la femme en baissant la tête.

Elle dit sans doute la même chose à toutes les femmes tristes, sait Marie-Christine, qui regrette d'avoir gaspillé cinq dollars. Tant pis. Elle bifurque sur la rue Université, soulagée de s'éloigner de la foule.

Enfin revenue à son appartement, elle s'étend sur son futon en cherchant le Grand Zorg du regard. Le voilà qui apparaît. Mais il ne parle pas. Cette présence la réconforte. Elle ressent encore cette lourdeur qui la plaque au sol, comme si un fardeau pesait sur elle.

Lorsqu'il fait noir, elle se lève avec difficulté et va se servir de ce mauvais vin qui combat la pourriture par son effet euphorisant. Puis elle va à son ordinateur. Elle tape « Grand Zorg » pour faire une recherche sur Internet. Elle apprend que zorg signifie « soin » en néerlandais. Le Grand Zorg aurait-il une nationalité ?

Elle s'assied en réfléchissant très fort. Il est évident que toutes ces visions ne sont pas normales, pourtant elles lui semblent bien réelles. C'est comme si un monde parallèle s'était allumé autour d'elle.

Puis elle se couche tout habillée. Chercher à voir la différence entre la réalité et le fantasme l'épuise. Elle oscille entre le déni de Dieu et l'abandon pur et simple.

Elle se réveille à l'aube. Elle a encore fait un rêve avec cet homme aux cheveux noirs et aux yeux gris. Elle ne comprend plus rien à la vie.

CRISE

ELLE VA CHEZ LE DÉPANNEUR DU COIN DE LA RUE acheter une bouteille de vin et un sandwich. La Chinoise, à la caisse, lui sourit. Elle a cette humilité bienveillante de ceux qui ont connu l'exil, voire l'oppression, et c'est sur un ton sibyllin qu'elle dit : « Ce sera vingt dollars », comme on dit « Dieu est partout ». Maigre elle l'est, d'une maigreur divine, et avec ses traits fins, elle rivalise avec les plus beaux portraits. Marie-Christine paie avec l'envie de lui demander : « Me prendriez-vous avec vous ? » Mais elle se tait. Ici, le silence est de mise.

Elle retourne à regret à son appartement et elle croise Rob, qui se tient immobile dans le vestibule. Il l'interpelle.

— Tenez. J'ai un billet pour une conférence à laquelle je ne peux malheureusement pas aller. C'est David Icke, un spécialiste des théories conspirationnistes. Il est britannique et il a beaucoup été persécuté. C'est un ancien footballeur. Cela pourrait vous intéresser, vous qui faites une maîtrise.

Elle hésite un moment, cette générosité subite l'étonne (elle a toujours imaginé Rob se caressant avec des billets de banque qu'il a extirpés aux autres), mais elle finit par accepter. Elle voit sur le billet que la conférence se donne dans une salle de théâtre du Vieux-Montréal. Elle remercie Rob pour la forme. Ses yeux bleus ont quelque chose de dément. Elle se précipite chez elle.

Le Grand Zorg est toujours à sa place habituelle. Lorsqu'elle essaie de le toucher, son index traverse la forme translucide. Elle se sert du vin, ne pouvant se résoudre à travailler, car la tâche lui semble énorme. En effet, *S/Z* parle de supercherie sexuelle, un thème qui lui est cher, elle qui croit être un homme dans un corps de femme.

Elle s'étend sur le sol, son avenir est incertain, elle n'existe que parce qu'elle pense, et elle entrevoit une série d'étapes à franchir dans le monde universitaire. Est-ce cela qu'elle veut, devenir docteure et écrire des articles que personne ne lira ?

Elle s'assoupit les bras en croix.

Elle se réveille en sursaut. Son corps est secoué de spasmes, un tremblement la parcourt et elle voit des flammèches colorées dans l'obscurité. Surtout, elle ressent une peur insoutenable.

Une fois que son corps s'est calmé, elle se précipite vers le téléphone et fait le 911.

— J'ai peut-être de l'épilepsie, dit-elle en respirant trop fort.

Au bout d'une vingtaine de minutes, les ambulanciers arrivent en faisant beaucoup de bruit.

— J'ai eu une drôle de crise, mon corps tremblait de façon saccadée, explique-t-elle en claquant des dents.

On l'examine et on lui dit :

— Mieux vaut aller à l'hôpital.

Elle se laisse emmener dans la nuit, c'est dans la nuit que les perceptions sont le plus aiguisées. Elle s'abandonne à ces mains qui la palpent.

Elle se retrouve sur un lit d'hôpital. Elle explique tout au médecin.

Une infirmière au visage creux lui insère une grosse aiguille dans le poignet et elle ne peut que faire l'analogie avec les clous transperçant les mains du Christ.

— Nous allons vous injecter un médicament.

— Non, je ne veux pas ! s'exclame Marie-Christine.

— C'est pour votre bien, dit la femme, dont le visage se crispe.

Elle ressent un relâchement et elle se dit que son corps l'a trahie. Elle a perdu sa vigilance. Elle se rappelle le sourire de Fritz, le regard de pierre de l'homme dans le métro, le magnifique revolver du flic. Ce moment constitue l'apothéose du malheur.

Le médecin revient et teste ses réflexes.

— Levez-vous, marchez, posez le doigt sur votre nez, ordonne-t-il.

Elle s'exécute et réussit l'exercice sans problème.

— Voyez-vous la Vierge Marie ? Entendez-vous Dieu ?

Elle ment en faisant non de la tête. Le Grand Zorg demeurera son secret. Elle entrevoit la suite. Il lui faudra se dédoubler : d'une part elle jouera son rôle d'être raisonnable et d'autre part elle entretiendra un dialogue avec des personnages que personne d'autre qu'elle ne voit. Et surtout, elle devra présenter au monde un visage tout à fait normal. Normal : voilà le mot d'ordre. Elle est prête à jouer le jeu.

On la relâche très tard. Elle a bel et bien été une captive. Heureusement, elle a de l'argent pour prendre un taxi. Mais quel genre de médicament lui a-t-on administré ? Elle est d'une mollesse périlleuse. Peut-être a-t-elle échappé à la mort.

Tout est silencieux dans son immeuble. Elle se recroqueville sur le sol et tente de tout oublier. Le Grand Zorg est là, qui veille sur elle.

Le lendemain, elle constate que son visage est bouffi. De plus, elle a des cernes noirs sous les yeux.

Dans le courrier, elle trouve le formulaire de l'Association psychiatrique du Canada. Elle le parcourt rapidement. Elle décide de le remplir, en cachant évidemment ce qu'elle vit afin qu'on la laisse tranquille. Elle dresse un portrait d'elle d'une banalité exemplaire. Oui, tout va bien, non je n'ai jamais eu de problèmes psychologiques, écrit-elle. Pourquoi l'a-t-on ciblée ?

Peut-être parce que les intellectuels sont encore suspects de nos jours.

L'INFÂME RAISON DE MARC

SON ALLURE SOMBRE L'AVAIT SÉDUITE, il avait tout d'un héros romantique avec ses cheveux bruns un peu longs, il avait de belles mains effilées qui se posaient avec délicatesse sur son ventre et lorsqu'il souriait, il découvrait de longues dents blanches régulières faites pour mordre dans la chair.

Il l'avait convaincue de retourner à l'université, elle qui prétendait que la connaissance croît dans la liberté, que la vie ordonne un mouvement sans entraves, que les vrais écrivains puisent leur inspiration dans la nature. Mais pour plaire à Marc, elle a accepté de s'imposer à nouveau une discipline.

Il faisait un doctorat en mathématiques et elle ne se lassait pas de l'entendre parler.

— Vois-tu, l'intelligence est avant tout structure. Et les structures ordonnent la vie. Mais qui dit que la conscience ne perçoit pas le vide? On dit que dans un trou noir de l'espace, le temps s'arrête. As-tu entendu les bruits de l'espace? C'est fascinant. Mars chante, je l'affirme. Il y a de la musique partout. L'univers est comparable à un grand orchestre. Mais ce que je veux montrer un jour, c'est que l'univers pense.

Il n'arrêtait pas de parler quand elle glissait sa main dans son pantalon. Elle sentait son sexe durcir dans sa main.

— Voilà le vrai miracle, disait-elle avant de l'embrasser.

Il ne protestait pas.

— Oui, peut-être que l'univers bande.

Elle savait qu'il se lasserait d'elle. Au fond, Marc se suffisait à lui-même et son intérêt pour les femmes était scientifique. Il avouait s'émerveiller devant la perfection du corps humain.

Et il l'a quittée avant qu'il fasse d'elle un objet abstrait à décrire mathématiquement.

Elle pleurait, car elle aimait encore Marc.

Mais maintenant, la présence du Grand Zorg lui fait oublier ses blessures. Si Marc savait: le fantasme est un grand livre qu'on ne peut épuiser.

Elle ose même mentionner l'existence d'un au-delà.

LES LETTRES

MARC SERAIT FIER D'ELLE. Elle est devenue obsédée par son sujet. De plus, elle croit avoir fait une découverte dont Barthes ne parle pas. Le Z n'est qu'un N auquel on a imposé une rotation de 90 degrés. Cependant, le N n'a pas la force du S ou du Z. Pourtant, il a une double fonction : il annonce une négation (ne, ni, non et ainsi de suite) et il établit un lien fluide entre deux lettres avec sa sonorité mouillée. Le N est une « négature ». Dans les noms « Sarrasine » et « Marie-Christine », le N se perd. Mais avec le mot « NaZ », le N semble moduler le Z et, mieux, il lui fait prendre de l'ampleur.

Il faudrait qu'elle comprenne mieux la signification des lettres en s'inspirant de Barthes, qui a dévoilé la fonction du Z dans *Sarrasine*, la nouvelle de Balzac. Le Z est la lettre de la castration. Mais le Z annonce aussi la négation sexuelle. Le Z, croit-elle, cache le vide.

Elle écrit : « Le mot est une coquille de noix qu'il faut fracasser. S'il s'ouvre, c'est pour dévoiler un sens caché. J'ai bien l'intention de voir au-delà des évidences. »

ZOÉ QUI RIT

ELLE A ACCEPTÉ L'INVITATION DE ZOÉ au Saint-Sulpice. Elle enfile un vieux jeans et un tee-shirt blanc, habillement réglementaire des jeunes. Elle se farde, car elle veut faire de son visage une contrefaçon. Elle attache ses cheveux d'un châtain terne qu'elle ne teint plus en blond depuis que Marc l'a quittée. Tout est en ordre : l'apparence supplante l'être. Elle salue les petits personnages qui ornent son miroir. Elle existe dans plusieurs mondes à la fois.

Elle hésite. Osera-t-elle aller dans le métro ? Les NaZ la guettent-elles ? Courage ! se dit-elle. Elle respire à fond et s'aventure sous terre. Un vent chaud chargé de poussière lui fouette le visage. Elle se précipite dans un wagon et reste debout. Cette fois, il n'y a que deux adolescents avec des piercings qui mâchent de la gomme. Ils ne jettent sur elle qu'un regard désintéressé. Elle se détend légèrement et attend d'arriver à la station Berri-UQAM.

Elle monte les marches quatre à quatre et se retrouve rapidement sur la rue Saint-Denis. Elle se félicite de sa détermination. Ce qu'elle veut, c'est être quelqu'un d'ordinaire.

Elle entre dans le bar et voit Zoé assise sur un tabouret, vêtue d'une minijupe et d'un chemisier décolleté.

— Salut ! Tu veux un Bloody Mary ? demande-t-elle d'emblée.

— Oui, n'importe quoi, répond Marie-Christine, qui craint encore le poison.

Mais Zoé n'est pas Fritz, Zoé ne lui veut que du bien, de plus il s'agit d'un lieu public, personne ne fait attention à elle et l'allure tapageuse de Zoé la laisse dans l'ombre.

Elle ose boire une gorgée de son Bloody Mary, elle constate qu'elle ne ressent qu'une ivresse discrète et elle se décontracte.

Zoé salue de la main un homme encore jeune qui les rejoint. Il a une beauté médiévale, avec des cheveux bruns qui ondulent, des traits fins et des yeux d'un vert étonnamment clair.

— C'est Paul. Il fait un doctorat en littérature anglaise à Concordia, claironne Zoé.

Voilà donc ce que tramait Zoé, qui rit maintenant : jouant les entremetteuses, elle a invité Marie-Christine afin qu'elle rencontre Paul. Mais même si Paul est d'une élégance peu commune, Marie-Christine ne ressent que de l'indifférence.

Paul parle français avec un accent charmant, il dit aimer Paul Bowles. Comme lui, il a habité à Tanger et Marie-Christine se demande s'il a fréquenté des garçons, à voir sa beauté ambiguë. Elle s'efforce de sourire et c'est avec indifférence qu'elle accepte que Paul lui touche la main. Zoé l'aurait-elle payé pour qu'il lui fasse la cour ? Elle en serait bien capable, elle qui ne cesse de lui dire : « Tu as besoin de sexe. Il n'est pas bon de jouer les nonnes en état de déréliction. »

Quelques heures ont passé, elle a bu trois verres et elle titube vaguement. Elle a parlé de son mémoire, prétendant que *S/Z* est en réalité une bible de la pensée moderne. Paul a hoché la tête poliment. Il a bu du vin blanc en cassant le poignet.

— Bon, il est tard, dit-elle enfin après avoir donné son numéro de téléphone à Paul.

Elle prend un taxi pour rentrer chez elle en se tançant de dépenser tant d'argent. Elle parvient à la rue Notre-Dame, déserte à cette heure. Lorsqu'elle ouvre la porte de son appartement, le téléphone sonne. Vu l'heure, elle croit qu'il s'agit de Marc. Elle répond avec précipitation.

— Allo, allo ! dit-elle.

Il y a un silence.

— Allo ! reprend-elle.

— C'est moi, dit une voix enrouée de femme.

— Qui ?

— Moi.

— Mais je ne vous connais pas.

— Si, tu me connais. Je suis ta mère.

— Mais ce n'est pas possible ! Ma mère est morte il y a dix ans d'une tumeur au cerveau.

— C'est moi, ma chérie.

— Cessez cette plaisanterie de mauvais goût.

— Tu es née à la pleine lune. Tu as hurlé comme un loup. Tu as été le plus beau cadeau qui m'ait été donné.

Il est vrai qu'elle est née à la pleine lune. Marie-Christine se rebiffe et crie presque :

— Ne rappelez plus !

Elle raccroche précipitamment. Elle vient peut-être de parler à une folle qui lui a fourni par hasard des détails sur sa naissance.

Le téléphone sonne à nouveau, mais elle ne répond pas. Le répondeur démarre et elle croit entendre un soupir.

Elle attend un long moment agenouillée devant le téléphone. Elle se rappelle sa mère sur son lit de mort : elle riait et elle était très volubile, mais son teint avait terni et ses yeux scintillaient. Marie-Christine a tenu cette main froide en sachant que c'était la fin d'une ère. Il n'y aurait plus de baisers posés sur son front, personne ne la consolerait plus et elle serait véritablement seule. En effet, elle connaissait si peu son père, ses parents ayant divorcé quand elle n'avait que deux ans.

Elle se déshabille et décide de dormir nue. Elle laisse la fenêtre ouverte pour sentir le vent sur son cou. Elle regarde le Grand Zorg, cette présence ne l'étonne plus, elle accepte qu'il soit tout simplement là. Pourquoi un homme, d'ailleurs ? Voilà bien la preuve que le Grand Zorg n'est qu'une figure itinérante issue de son imaginaire.

Elle tente d'oublier la vraie voix de sa mère, rauque, basse, une voix usée.

La vie tend vers l'absence, se dit-elle.

LOVE, PAUL, WILL YOU BE MY BABY DOLL ?

IL A RAPPELÉ AU BOUT DE DEUX JOURS.

Elle a aimé discuter avec Paul. Après avoir parlé de Baudelaire, ils ont convenu de se rencontrer dans un Café Starbucks.

— Tu es intéressante, a dit Paul.

Oui, n'a-t-elle pas répliqué, je suis un amas de chair qui ne cesse de se transformer et si on me connaît, on découvre que je ne cesse de fuir.

Elle s'est fait un chignon pour se donner un air plus sérieux. Elle ne ressent aucune passion, ce qui la soulage. La passion est après tout une expérience corrosive. Et Paul ne suscite en elle aucun élan déraisonnable. Mais elle a besoin d'être regardée.

Paul est déjà là, installé à une petite table dans un coin sombre. Il y aura donc de l'intimité, un exercice d'endurance, et elle devra boire un de ces lattés trop dilués qui ne sont bons qu'à faire battre le cœur plus vite.

Elle le salue et s'installe devant lui. La beauté de Paul est amplifiée par l'ombre. Il range dans son sac le livre qu'il lisait.

— J'aime par-dessus tout *The Sheltering Sky* de Paul Bowles, si bien rendu par Bertolucci. Ce qui me fascine, c'est le dénuement métaphysique. Le personnage féminin est complexe, inspiré de Kit, la conjointe de Paul Bowles. As-tu été dans le désert ?

— Non, je crains la chaleur.

— Moi, j'ai fait ma maîtrise sur la Beat Generation. Je fumais du haschisch, mais j'ai arrêté. Maintenant, j'ai besoin de vitesse.

— Et comment gagnes-tu ta vie ?

— J'écris des articles, mais mon revenu me vient surtout de mes contrats de mannequin. Justement, demain je fais un défilé chez La Baie. C'est un métier un peu ridicule, mais on gagne de l'argent rapidement.

— Oui, la mode est un phénomène étrange. Je ne la suis pas. Je vis avec deux paires de jeans.

Elle boit une gorgée de son latté. Elle a le sentiment de ressembler à la femelle du paon, qui est si grise. Elle a déjà feuilleté des magazines de mode et elle doit s'avouer qu'elle envie ces femmes qui semblent jubiler. Elle-même a toujours un visage triste sur les photographies. Elle ne ressent que de la déception en se voyant.

Elle ne sait pas pourquoi, mais elle voudrait déshabiller Paul, même si elle n'a aucun désir. Peut-être cherche-t-elle à profaner une image sainte. Elle se penche et embrasse Paul, qui ne la repousse pas. Il a la passivité des êtres qui ont l'habitude qu'on vienne vers eux. Elle pense à l'inviter chez elle. Elle se demande s'il verrait lui aussi le Grand Zorg. Mais Paul dit : « J'habite à cinq minutes d'ici. »

Elle se lève avec l'impression qu'on la regarde. Peut-être suscite-t-elle l'envie ? Il lui plaît d'être vue en compagnie de Paul.

Ils marchent sans empressement sur la rue Sainte-Catherine.

— La nuit est transfigurée, dit Paul, comme s'il s'agissait d'une bonne blague.

Elle lui prend le bras avec audace.

Paul n'a chez lui qu'un grand lit et une table sur laquelle est posé un ordinateur. Elle se déshabille en trouvant absurde cette cour amoureuse. Lorsqu'elle est nue, Paul a un sourire poli. Elle le déçoit sans doute, mais elle l'a choisi comme amant : c'est lui qui succédera à Marc. Sa longue ascèse de six mois est sur le point de prendre fin. L'amour est un exercice de style, pense-t-elle.

Il se déshabille à son tour. Sa peau est douce, une peau de fille. Elle n'ose pas lui demander s'il a couché avec des hommes. Paul est après tout presque féminin.

Ils se plient, se déplient, ils sont déjà des amants las. Elle ressent un peu de plaisir malgré le froid qui lui parcourt l'échine.

Puis vient le moment de dormir côte à côte. Paul lui souhaite bonne nuit.

Mais elle ne peut pas fermer les yeux. Si elle le pouvait, elle enfilerait une robe de nuit épaisse.

— Paul est un NaZ, lui susurre la voix de femme. Mais il ne te fera pas de mal.

Elle doit réprimer un sursaut. Paul dort. Elle se lève et va examiner la petite bibliothèque. Il y a plusieurs livres en allemand. Faut-il fuir ? Il est vrai qu'elle peut imaginer

Paul habillé en SS ou, mieux, déguisé en belle femme. Elle maîtrise sa respiration. Le voilà qui remue. Il ouvre maintenant les yeux, ses yeux trop clairs.

— Tu ne dors pas ?

— J'ai le sommeil fragile.

— Il est six heures. Allons prendre le petit-déjeuner.

— Oui, j'aime les œufs frits, dit-elle en jetant un coup d'œil sur un manuscrit qui est posé par terre.

S'est-elle aventurée en terrain dangereux ? Mais elle ne saurait dire qui de Paul ou d'elle est la femme.

Ils s'habillent et sortent. Ils marchent, puis s'arrêtent dans une gargote. Ils s'assoient et commandent. Elle ne peut que remarquer combien les poignets de Paul sont fins. Ils parlent de Zoé.

— Elle veut ce qui ne se peut pas, dit Marie-Christine.

— Elle vit un apogée perpétuel, continue Paul.

Marie-Christine observe Paul, qui mange avec précaution. Peut-être surveille-t-il sa ligne ?

— Mon défilé est à 17 h. Si tu veux, tu peux venir me voir, déclare Paul.

Elle s'empêche de dire : oui, la mode est NaZiste.

Ils se quittent en s'embrassant légèrement sur la bouche. Elle imagine Paul la menaçant avec un revolver et son cœur s'emballe.

La curiosité la pousse à se rendre à La Baie. Elle longe des allées lumineuses. L'or brille. Et elle se maudit d'être pauvre.

Elle parvient à un endroit où une estrade est installée. La foule est déjà dense. Elle lève la tête et voit des gicleurs d'eau. Et si, dans cet espace où l'on étouffe, des NaZ dispersaient un gaz ? Corps poussés dans les charniers, corps mutilés, corps inertes : elle a une vision de la fin du monde tandis qu'une musique ringarde se fait entendre. Elle ne peut s'empêcher de taper du pied. Le défilé commence. Paul, vêtu d'un complet fluide qui coûte sans doute cher, s'avance accompagné d'une fille longiligne à laquelle Marie-Christine ferait volontiers un croc-en-jambe. Certes, ils sont comme on dit « beaux », mais leur peau ressemble à du caoutchouc. Paul est toujours galant, la vie n'est sans doute pour lui qu'une succession de poses, et il sourit légèrement en regardant le public. Sa beauté doit le protéger du malheur. Marie-Christine, qui se trouve laide, ne peut que grincer des dents. Une mauvaise fée l'a sans doute condamnée à une vie dans l'invisibilité.

À la fin du défilé, elle rejoint Paul, qui a remis ses jeans. Il est avec elle d'une politesse élégante, comme s'ils étaient des étrangers. Ça n'aura été qu'une aventure d'un soir, comprend-elle. Elle doit se retenir de le gifler, ne serait-ce que pour palper une dernière fois cette peau de satin.

— Je dois retourner bosser sur ma thèse. On s'appelle ? dit-il.

— Oui, moi aussi je dois m'y mettre.

Il s'éloigne et elle le surprend se regardant dans les miroirs. Il a la vanité lasse des gens qu'on regarde trop.

Elle s'avance vers les étalages de cosmétiques. Elle ne sait pourquoi, mais elle a besoin de dépenser de l'argent. Elle laisse une vendeuse la baratiner comme s'il s'agissait d'un exploit amoureux. Marie-Christine dépense 50 dollars pour un pot qu'elle ne se donnera même pas la peine d'ouvrir. Elle lève la tête. Elle ne reconnaît pas son image.

Elle sort. Elle décide de marcher jusque chez elle. Il fait doux, mais elle a déjà trop chaud.

Elle se réfugie dans son appartement. Le Grand Zorg est toujours à son poste.

– Mais qui sont les NaZ ? lui demande-t-elle à nouveau.

Il lui semble que le Grand Zorg lève le bras en direction du miroir.

Le miroir, l'image, la reproduction : voilà sans doute le domaine du NaZ. Et le NaZ ne reconnaît que la beauté, conclut-elle.

Elle s'est endormie tôt. Elle se réveille les draps entortillés autour de ses jambes : elle a fait un autre cauchemar. Elle était devant son miroir et, tout à coup, elle constatait qu'il avait de la profondeur. Puis le tain est devenu liquide. Rob se dressait devant elle, son visage déformé par un rictus. Elle était Rob.

Elle se lève et va poser la main sur le miroir. C'est bel et bien dur.

Mais s'il y avait effectivement un monde derrière le miroir ? se demande-t-elle.

L'ÉTRANGE CONFÉRENCE DE DAVID ICKE

ELLE SE SOUVIENT TOUT À COUP que Rob lui a donné un billet pour une conférence. C'est justement aujourd'hui à midi. Elle s'asperge le visage d'eau froide comme pour se donner un coup de fouet. Elle se farde avec l'intention de se donner un autre visage. Elle ne se donne pas la peine de manger : elle espère chanceler. Elle salue le Grand Zorg et s'en va.

Elle marche jusqu'au Vieux-Montréal. Une foule est amassée devant le théâtre. Elle ne sait pas à quoi s'attendre.

Elle entre dans la salle bondée. Plusieurs personnes portent des vêtements colorés. Elle-même s'est vêtue de noir, comme pour disparaître dans l'ombre. Elle s'installe près d'un homme qui a les mains sagement posées sur les genoux. Tout à coup, les applaudissements fusent. Un homme de haute taille, vêtu d'un pantalon de mauvaise coupe et d'une chemise blanche, vient de faire son entrée en scène. Il a un visage jeune, mais ses cheveux gris lui donnent l'allure d'un patriarche. Sur une table est posé un verre d'eau, mais Marie-Christine se dit qu'il s'agit peut-être de vodka. Il commence à parler en anglais avec un fort accent britannique.

C'est un bon orateur, il bouge avec la grâce d'un félin en cage, et le mot *evil* lui revient souvent à la bouche. En gros, si elle comprend bien, il parle de satanisme, il prétend que la famille royale britannique sacrifie des enfants, il affirme que les Habsbourg dominent le monde, mais ils ne sont pas humains, non, ce sont des reptiles qui se gorgent de sang. Il affirme en outre que la princesse Diana aurait été assassinée de façon rituelle. Les reptiles dévorent leurs victimes, de préférence des blonds aux yeux bleus. Les symboles qu'ils affectionnent sont la colombe, le M (de MacDonald's, par exemple), le W (comme dans Wendy's) et, bien entendu, le swastika. Mais le principal symbole est le soleil noir : l'éclipse totale qui viendra détruire le monde.

David Icke s'arrête de parler. Un homme filme les spectateurs avec une caméra vidéo. Marie-Christine s'efforce de sourire, même si elle est sceptique. Ces propos délirants dressent un portrait peu rassurant de la société.

C'est la pause.

— Je t'invite pour un café, entend-elle.

Un homme la regarde avec ses yeux trop grands, des yeux de fantoche. Elle ne sait pas pourquoi, mais elle accepte.

Elle le suit jusque dans un café. Il insiste pour payer. Ils s'installent à une table dans un coin caché. L'homme commence à parler et elle remarque que ses lèvres sont blanches.

— Oui, je me suis échappé de l'Hôpital Douglas. Je suis en cavale. Ils ne peuvent pas comprendre.

Elle ne fait que hocher la tête.

— J'entendais des messages à la télévision. Dans un film, Mel Gibson s'est tourné vers moi et il m'a dit de fuir. Et j'ai couru, je suis allé dans la montagne.

— Ah ?

— Oui, la forêt est magique.

— Sans doute.

— Mais il faut faire attention. Les satanistes nous ont à l'œil. Toi, tu es claire. Tu es en danger. Ils boivent du sang pour devenir éternels. Ce sont toujours les mêmes visages qu'ont voit à l'ONU. Ce sont des vampires.

Il baisse la tête et commence à chuchoter.

— On nous surveille. Tu vois ces hommes en noir ? Ils sont de la CIA. David Icke a de la chance de ne pas avoir été assassiné. Viens, c'est l'heure de retourner au théâtre.

Elle se lève. Elle le suit en constatant qu'il boite. En effet, des hommes en complet noir, semblables à des croque-morts, sont postés devant l'entrée. Ils ont des visages anonymes. Dans le hall, c'est le chaos : certains vendent des photographies de pharaons, d'autres distribuent des dépliants qui vantent le pouvoir des pyramides, d'autres encore arborent un tee-shirt avec l'image d'un extra-terrestre.

Elle retourne à sa place. La curiosité la pousse à entendre la suite.

David Icke paraît et il se lance dans une diatribe contre le système. Il parle à nouveau de satanisme durant une bonne heure. Il se répète : oui, des monstres dévorent des gens et ces reptiles font partie d'une noblesse noire. Puis c'est la fin : David Icke s'incline et tous applaudissent très fort.

Elle se mêle à la foule qui se bouscule vers la sortie. C'est alors qu'elle voit par terre un dépliant qu'elle ramasse. Il y est écrit : « Avez-vous des visions ? Voyez-vous Dieu ? Vous n'êtes pas seul. Joignez-vous aux Illuminaires. » Il y a une adresse. La réunion a lieu tout près de chez elle. Elle glisse le dépliant dans son sac.

Elle marche lentement. Elle trouvera le salut dans l'écriture de son mémoire. Mais elle doit s'avouer que les propos alarmistes de David Icke l'inquiètent. Il semblait si convaincu de ce qu'il affirmait ! Sans doute n'est-il qu'un fanatique qui exploite la peur des gens.

Revenue chez elle, elle salue le Grand Zorg et elle se met à son ordinateur. Elle écrit. « La beauté est un leurre. Les images sacrées n'existent plus. Dieu est une invention sournoise. On ne cesse de souiller la femme. Mais moi, je ne veux plus, je ne veux plus. »

Elle se relit et d'un geste rageur appuie sur la touche DELETE. Elle n'a toujours qu'une page à son mémoire. La professeure Samson lui reprochera sans doute de faire de la philosophie, alors que le but de l'exercice est d'analyser les mouvements du texte.

Elle a rendez-vous avec elle demain et elle aura encore l'impression de murmurer des obscénités à travers un grillage, comme au confessionnal.

On frappe à la porte. Elle hésite, puis va répondre. C'est Rob, couvert de poussière, qui sourit, une grimace plutôt qu'un vrai sourire. Il porte ses lunettes à verre épais qui le font ressembler à un pervers.

— Alors, vous êtes allée à la conférence ?
— Oui, c'était plutôt étrange.
— Il faut être averti. Les hommes sont souvent maléfiques. Mais un autre messie viendra, j'en suis sûr.
Il pointe l'index vers le haut et déclare :
— Il est là !
Il se détourne. Elle referme la porte avec soulagement. Elle veut oublier ces mains abîmées avec des doigts noueux qui pourraient être celles d'un étrangleur. Prendre, posséder, malaxer : voilà ce que Rob semble accomplir avec aisance.
Elle se poste devant le Grand Zorg.
— Je ne veux pas devenir folle, dit-elle.
— Les fous vivent au paradis, dit le Grand Zorg.
Elle retrouve le dépliant et l'examine. Ira-t-elle à cette réunion de ceux qui disent s'appeler les Illuminaires ?
Épuisée, elle s'étend et s'empare du recueil des œuvres complètes de Baudelaire. Elle relit l'*Hymne à la beauté*. « Sors-tu du gouffre noir ou descends-tu des astres ? »
Elle n'a pas de réponse à cette question.

LA MORT DE LA MÈRE

ELLE SEMBLAIT POURTANT BIEN SE PORTER, elle devait même partir en voyage, elle était toujours aussi coquette.

Puis elle a eu des étourdissements. Et un soir, elle a eu un tel malaise qu'elle est tombée à la renverse. Elle a réussi à faire le 911 et on l'a transportée à l'hôpital. Un scan a révélé des tumeurs malignes au cerveau.

Marie-Christine, qui n'avait que vingt ans, croyait sa mère éternelle. Et lorsqu'elle l'a vue sur son lit d'hôpital, toute souriante – la venue de la mort la faisait paradoxalement rayonner –, elle a cru à une mise en scène macabre, à une erreur médicale, car cette mère ne pouvait tout simplement pas mourir.

Elle a tenu cette main froide et elle s'est tue, craignant de dire les mauvais mots. Elle pouvait à peine supporter l'atmosphère de l'hôpital. Étrangement, il n'y avait pas d'odeur, comme si la chair était en réalité du plastique.

Durant la nuit, la mère est morte d'une hémorragie interne.

Marie-Christine a vu toutes ses certitudes s'évanouir. Qu'y avait-il après la mort ? Des rêves ou une inertie absolue ?

Elle a abandonné l'université. Deux ans. Deux ans à errer en quête de réponses.

Mais elle s'est ressaisie et a terminé son baccalauréat. Les mots emplissaient le vide laissé par la mère. Elle n'avait pas la foi, mais elle avait mieux : un scepticisme qui la protégeait de la mort.

Mais durant la nuit, elle tendait le bras devant elle en demandant tout haut : « Es-tu là ? »

AUTRE RENCONTRE AVEC L'INCONTOURNABLE K. SAMSON

Elle doit rencontrer la professeure Samson cet après-midi. Au début, Marie-Christine était intimidée par elle : deux doctorats, des connaissances qui semblent infinies. De plus, elle a beaucoup voyagé et elle a écrit des livres.

Kathy Samson est assise à sa table, toujours aussi élégante. Par comparaison, Marie-Christine se sent incolore, avec son visage nu et ses jeans usés.

— Avez-vous avancé ? demande la professeure.

— Je ne sais pas. *S/Z* analyse l'histoire d'un déni. En gros, Sarrasine, même acculé à la vérité, ne peut accepter que la femme qu'il adule est en réalité un homme mutilé. La Zambinella a tous les attraits d'une belle, avec ses cheveux longs, ses fards et sa robe luxueuse. Et Sarrasine est obsédé par elle. Lorsqu'il comprend qu'elle n'est pas une femme, il menace de la tuer. La pulsion sexuelle du jeune homme est telle qu'elle devient destructrice. Ici, le sexe tend vers la mort. Tout cela est très Bataille. Mais Barthes, lui, évoque le sentiment de castration de Sarrasine.

— Peut-être poussez-vous trop loin. Certes, la passion de Sarrasine est morbide. Il s'agit d'un désir fulgurant dirigé vers le mauvais objet. Et on assassine Sarrasine parce qu'il a osé traverser la frontière entre le privé et le public. Sarrasine n'a pas voulu accepter que la Zambinella était une créature avant tout sociale. Le sexe ici est une illusion. Mais n'oubliez pas que Barthes n'était pas exactement un fan de Balzac. Il lui trouve un style lourd. Et vous, avez-vous déjà écrit un texte de fiction ?

— Oui, mais ça n'a pas été un succès.

Marie-Christine se souvient de cette longue nouvelle qu'elle avait rédigée dans la fièvre. C'était l'histoire d'une femme bafouée. Elle s'était inspirée de la vie de sa mère. Abandonnée par son mari, sans diplôme, l'héroïne s'était relevé les manches pour aller travailler dans un cabinet de comptables. Marie-Christine avait présenté son travail à un professeur qui l'avait dénigré en déclarant : « Cela ne se tient pas et c'est terriblement banal. » Elle avait pleuré.

— Je n'ai pas de talent pour la création, ajoute-t-elle.

Kathy Samson rajuste ses lunettes et jette un coup d'œil sur la page que Marie-Christine lui a présentée.

— Pourtant, comme Barthes le dirait, vous avez tout d'un « écrivant ». Votre style est peut-être trop alambiqué.

Simplifiez, simplifiez ! Nous ne sommes pas ici pour refaire le monde.

— Ce que je voudrais démontrer, c'est que ce qui est acquis l'emporte sur ce qui est inné.

— Je vois. Vous voulez montrer que le sexe est une construction sociale.

— Pire : le sexe est une fuite vers le néant. Peut-être pourrais-je m'inspirer de philosophes existentialistes.

— Bien, bien. Mais les existentialistes pourraient vous mener dans un cul-de-sac idéologique. Allez puiser chez les grands penseurs. Lisez aussi Hegel. Et n'oubliez pas Schopenhauer. Son idéalisme vous inspirera.

— N'avez-vous pas remarqué ? Son nom pourrait se dire *Shopping hour*.

— *True, true !* L'heure du magasinage ! Mais je vous ferai remarquer que Schopenhauer n'avait rien d'un capitaliste !

La professeure retire ses lunettes.

— Vous n'avez qu'à parler de ce qui vous est cher sans faire trop de digressions.

— Mais Barthes sublime le style en faisant des digressions. Avec lui, les certitudes s'effondrent. Sa parole est pour ainsi dire sacrée.

— Pourtant Barthes a cherché à prouver que n'importe qui pouvait écrire.

— Oui, voilà sans doute le paradoxe.

— Bon, vous avez du pain sur la planche. Écrivez donc sur la passion. La passion n'est-elle pas toujours dangereuse ? C'est la passion qui a un lien avec la mort. *S/Z* parle d'un refus catégorique, le refus de la nature.

— Oui, j'y penserai.

Marie-Christine se lève et s'incline avec une déférence dont elle a un peu honte.

Elle parcourt les couloirs de l'université, pareils aux méandres d'un hôpital. Lorsqu'elle atteint la rue, elle peut enfin respirer.

Elle décide de prendre un café au Starbucks. Elle maudit la mondialisation, mais elle doit s'avouer que l'atmosphère de l'endroit est agréable. Elle s'installe face à la fenêtre. Devant elle, une jeune fille fait le tapin. Les clients ont-ils toujours une propension à chercher leur fille ? Mais qu'est-ce que l'amour ?

C'est alors qu'elle aperçoit Fritz qui marche lentement. Elle baisse la tête. Non, elle ne compte pas le saluer. Ce vin était-il drogué ? Ou s'est-elle tout imaginé ? Fritz s'éloigne enfin. Comme tout le monde, il ne cesse de mourir, ce qui la console.

Elle se lève. C'est déjà la nuit. Tiens, la Lune est pleine !

Tout va bien, se dit-elle en s'engageant sur le trottoir.

Le Grand Zorg est toujours là. Elle a l'impression qu'il la surveille.

Elle ne sait pas pourquoi, mais elle rit.

Voilà que le jour s'inverse, songe-t-elle.

Elle ne sait si elle est au paradis ou en enfer.

ET LE TEMPS PASSE

ELLE ADHÈRE À UNE ROUTINE STRICTE : travail le matin, café et réflexion l'après-midi, et récapitulation le soir.

Elle a écrit une dizaine de pages.

Le mois de mai passe vite. Paul l'a appelée à quelques reprises et lui a parlé sur un ton poli. Elle ne pouvait que se souvenir de l'avertissement émis par la voix de femme : Paul serait un NaZ. Elle s'est donc défilée chaque fois qu'il l'a invitée à sortir. Sans doute habitué à être vénéré pour sa beauté, il semblait surpris qu'elle se refuse à lui.

Elle voit souvent Zoé, qui est toujours vêtue de façon scandaleuse. Zoé avoue qu'elle a des clients généreux qui ne lui demandent que de parler.

— Tu te tues, dit Marie-Christine.

— Oui, comme Nelly, je choisirai un jour la mort. Je ne peux pas accepter de vieillir.

— Et les femmes ?

— Ce sont elles que j'aime, en effet. Mais je veux cultiver mon jardin secret. En me donnant aux hommes, j'évite le piège des sentiments et je ne trahis pas mes idéaux. Et puis l'argent est un baume.

Marie-Christine convient qu'elle a peu d'argent, vivant de prêts et de bourses. Quelquefois, elle rêve de porter des dessous en dentelle et de boire du champagne. Mais ces fantasmes ne durent pas. Travail, travail ! se répète-t-elle.

Puis vient le mois de juin. Elle s'est habituée à voir le Grand Zorg, elle l'a intégré à son existence, elle n'a plus peur de perdre la raison. Vrai ou faux, qu'importe.

Elle ne sait si elle est une athée mystique ou une croyante sceptique.

Le séminaire prend fin. Elle est soulagée de ne plus faire partie d'un groupe.

Elle continue d'évaluer sa stratégie. Si tout va bien, elle aura terminé son mémoire avant Noël. Ensuite, elle sera libre de sauter dans la boue si le cœur lui en dit.

La professeure Samson semble satisfaite de ses progrès. Elle hoche la tête en faisant quelques commentaires.

— C'est abstrait, mais ça se tient. En effet, le N est peut-être un agent modérateur, une « négature », comme vous dites. Mais demeurez terre à terre. Et n'hésitez pas à faire des petits résumés.

Le 1er juillet, elle sent un changement palpable dans l'atmosphère. Malgré le soleil radieux, elle croit exister dans sa poisse. Elle écrit :

« En aimant la Zambinella, Sarrasine pose les assises de sa masculinité, qui est certes fragile. Il cherche au fond à s'opposer à la femme, qu'il définit comme une somme d'artifices. Et l'art existe pour le persuader que l'imposture est juste et bonne. Quand il découvre que la Zambinella est en réalité un homme, son identité se dissout. Il devient violent. La violence est peut-être son seul recours : c'est ainsi qu'il demeure homme. »

Elle pense à Paul. A-t-il déjà été violent? Elle en doute. Elle a eu la désagréable impression d'avoir couché avec une femme.

Quelquefois, elle regrette d'être tenaillée par un désir inexplicable.

LE PÈRE OU L'HORLOGE

IL SE MANIFESTE AVEC LA VIOLENCE D'UN COUCOU annonçant l'heure dans un fracas métallique, puis il disparaît presque aussitôt.

Au fond, elle a peu de souvenirs de lui. Il s'est enfui avec une femme plus jeune lorsqu'elle avait deux ans. Ensuite, il y a eu les visites bimensuelles, où elle dormait sur le canapé du salon.

Il avait quelquefois des bons mots qu'il répandait comme une traînée de poudre: « Tu grandis vite » ou encore « Tu as de jolies joues roses ».

Mais lorsqu'elle a eu treize ans, il a cessé de lui faire des compliments. « Les femmes n'arrivent à rien », lui a-t-il dit. Elle courbait le dos en sa présence pour cacher sa poitrine naissante.

Il faisait de Marie-Christine une adversaire et cela l'attristait de devenir une femme.

Puis, lorsque sa mère est morte, son père a dit : « Elle ne comprenait rien à la vie. »

Maintenant, il habite en Floride, dans le luxe.

Il ne lui téléphone que pour lui faire la morale.

— Alors, toujours aux études ? À ton âge, on pense à sa carrière et aux enfants, dit-il invariablement.

Le père sait pourtant qu'un médecin a déclaré que Marie-Christine est sans doute infertile. Elle n'a qu'un filet de sang tous les deux mois. Et elle ne connaît pas la douleur des femmes.

Elle répond chaque fois : « Mais je ne peux pas. »

Sa gorge devient alors si serrée qu'elle respire à peine.

Elle regarde parfois ses photographies d'enfance. Sur l'un des clichés, son père la tient dans ses bras.

Mais son père ne lui a jamais dit « je t'aime ».

LE CŒUR BRISÉ

ELLE DÉCIDE DE SORTIR. Elle a beaucoup travaillé. Elle se rend au Starbucks. Elle commande un expresso et s'assied devant la fenêtre. Une femme voilée passe devant elle. Elle a déjà rêvé de porter une burka afin de se cacher.

Un homme assis à côté d'elle regarde l'écran de son ordinateur dernier cri. Elle a la désagréable impression qu'on l'épie. Les gens semblent avoir des visages figés. Elle boit une grosse gorgée de son café. Et elle sent la paralysie la gagner. Elle se lève avec difficulté. Elle se traîne hors du café et s'écroule dans la rue. Une femme s'arrête devant elle et lui demande : « Are you O.K. ? » Elle ne réussit pas à articuler de mots. « NaZ, NaZ », entend-elle.

La femme fait le 911 sur son téléphone portable. « Non, pas l'ambulance », réussit à articuler Marie-Christine. Elle pense aux ambulances qui sillonnaient l'Allemagne et qui étaient en réalité de petites chambres à gaz servant à éliminer les Juifs. Elle tente de se relever, mais ses jambes ne la portent plus.

Et l'ambulance s'arrête devant elle. On la met sur une civière. On prend sa tension. « Mais vous pétez les plombs ! Votre tension est anormalement élevée », dit l'ambulancier en souriant.

Elle entend la sirène. Tout ce bruit pour elle seulement.

— Le poison, le poison dans le café, réussit-elle à dire.

Rendue à l'hôpital, elle demande à parler à un policier.

On lui sourit encore. On la mène dans une vaste pièce où sont alités d'autres malades. Une vieille femme avec des bigoudis sur la tête geint. Un homme gît, ses lèvres remuant comme s'il priait.

Au bout d'un très long moment, un policier se présente. Elle est à nouveau fascinée par ce revolver attaché à sa hanche.

— Ils m'ont empoisonnée, c'est le café, les NaZ m'ont ciblée, dit-elle dans un souffle.

Le policier, un grand roux aux yeux injectés de sang, la regarde avec un air d'incrédulité.

— En ce qui me concerne, rien ne s'est passé. Vous n'êtes qu'une paranoïaque, déclare-t-il en faisant glisser la main sur son arme.

Elle tente de se lever.

— Ça va. Je peux retourner chez moi, lance-t-elle.

Le policier lève la main. Elle est sûre qu'il va la frapper. C'est alors que tout, autour d'elle, semble s'immobiliser, les visages sont de marbre, les néons cessent de trembloter, le métal devient mat. Elle réussit à se tenir debout, traversée par un élan qui, elle en est sûre, diviserait la mer en deux.

Le policier l'arrête et dit :

— Vous devez aller dans la salle de traitement.

Elle se rassied. Elle a envie de manger des fraises, elle revoit le regard flou de sa mère mourante, elle se souvient de quelques vers de Shakespeare, elle a les mains moites, elle croit s'étioler. Elle voit un immense Z qui barre l'espace.

Une infirmière la mène à la réception.

— Votre nom, votre religion, crie une femme installée derrière une vitre.

La main sur la poitrine — son cœur a des ratés —, elle réussit à dire :

— Je m'appelle Marie-Christine Arbour et je suis catholique.

La femme ne sourcille pas. Elle dit quelque chose. Marie-Christine croit entendre : « Vous avez été ointe ? »

On la mène ensuite dans une grande salle où il y a plusieurs lits isolés par d'affreux rideaux verts. On la force à s'étendre sur un des lits. Sans avertissement, on lui plante une aiguille dans la main. Très vite, elle a une sensation de froid dans les veines, comme si de la neige fondait en elle.

Un médecin s'approche d'elle. Ne ressemble-t-il pas à un tortionnaire avec ces lunettes carrées cerclées de fer et ce teint cireux ? Elle comprend qu'il faut tout cacher, sinon on va faire d'elle une folle. Elle craint qu'on lui mette une camisole de force.

– La tension est élevée. Nous devons vous garder pour l'instant, dit le médecin en la regardant à peine.

Son corps est-il une offrande ? Va-t-on la dévorer ? Elle est secouée de tremblements. Devant elle, une horloge indique qu'il est une heure. Elle est donc ici depuis huit heures. On lui injecte un médicament et elle croit se désarticuler. Son cœur bat un peu plus normalement. Elle voudrait voir le Grand Zorg, mais il n'y a ici que la réalité plate et dure.

Trois autres heures s'écoulent. Puis le médecin revient et dit :

– La tension est redevenue normale. Nous allons vous donner votre congé. Mais évitez le café, désormais.

Y a-t-il de l'ironie dans sa voix ? Elle ne fait que hocher la tête. Si elle exprime de la contrition, on la laissera tranquille.

Une infirmière vient lui retirer l'aiguille de la main.

— Vous avez de la chance, dit-elle.

Marie-Christine sait qu'il faut se taire. Elle sourit comme un automate. Elle est éveillée à l'excès. Elle prend son sac et quitte l'hôpital en marchant rapidement. Une fois dans la rue, elle commence à courir. Elle est persuadée de voir des silhouettes s'avancer vers elle. Elle croit entendre des coups de feu.

Lorsqu'elle ouvre enfin la porte de son immeuble, elle est agressée par une forte odeur de haschisch. C'est sans doute Rob : elle l'a déjà surpris avec un joint qu'il tenait comme un crayon, les yeux vitreux et la peau crayeuse. Il avait parlé de communisme. Elle avait écouté les propos confus en se promettant de ne jamais se droguer. Mais, heureusement, Rob ne paraît pas. Elle se précipite vers son appartement.

Que vient-elle de vivre ? A-t-elle échappé à la mort ?

Le Grand Zorg flotte devant elle.

— Tu as été prise par les NaZ, entend-elle.

Elle observe les lueurs du levant jouant sur le mur d'un blanc douteux. Et elle s'assoupit en chantonnant « comme nos voix, ba da ba da, da ba da ba da ».

Elle demeure trois jours étendue en écoutant son cœur battre. Le sang pulse en elle. Oui, elle est en vie. Le soleil qui balaie ses pieds semble sale. Il y a une atmosphère de fin du monde.

Lazare, lève-toi! Elle voit les choses avec une acuité alarmante. Elle s'assied en indien et feuillette avec attention un livre d'art. Elle en arrache des dessins de corps mutilés qu'elle épingle au mur. Puis elle observe longuement la reproduction d'un tableau intitulé *Pornokratès*. Elle s'identifie à cette femme nue aux yeux bandés qui marche près d'un précipice.

Elle écrit: « Le S à la fin du nom "Barthes" est muet. Il n'a rien du S de Sarrasine. Il est ici question de silence. Et quand Barthes se tait, le texte continue à vivre. C'est en réalité une grande leçon de liberté que Barthes nous donne. » Cette fois, elle n'appuie pas sur la touche DELETE. La professeure Samson lui dira sans doute que son propos est hors sujet.

Puis elle pense à Zoé, qui a peut-être raison d'affirmer que l'amour entre femmes est gage de spiritualité. Pourtant, Marie-Christine rêve d'être dans les bras d'un homme. Court-elle à sa perte?

Elle décide de sortir à la nuit naissante. Elle marche un moment. Non, on ne la suit pas. Elle respire plus librement. Elle entre dans le supermarché. Elle a l'impression de participer à une fête barbare. Les clients sourient avec sadisme. Elle remplit son panier en prenant des conserves au hasard. Puis elle se met dans la file d'attente. Derrière elle, un homme vêtu de noir et portant des verres fumés même le soir ne cesse de la bousculer. Elle paie précipitamment et se sauve.

Revenue chez elle, elle ouvre une conserve de raviolis, qu'elle mange froids. Puis elle regarde les dessins de corps décapités. D'un geste rageur, elle déchire tout.

Elle a toujours le dépliant qu'elle a ramassé par terre dans le théâtre où David Icke donnait sa conférence. Elle le défroisse. « Illuminaires, jeudi 19 h, devant l'Armée du Salut. »

Elle y sera.

Elle n'a rien à perdre.

LES ÉLUS

ELLE SE FARDE ET ENFILE UN PULL ROUGE afin de signifier la vie. Elle est curieuse de voir qui sont ces Illuminaires.

Devant l'Armée du Salut, trois personnes semblent attendre. Marie-Christine apostrophe une femme noire vêtue d'un uniforme élimé.

— Êtes-vous une Illuminaire ?

— Oui, bienvenue, chuchote la femme. Mais, attention ! on peut nous surveiller. Notre maître s'appelle Blue. Elle n'est pas encore arrivée. Voulez-vous une cigarette ? Il ne faut pas être trop pur sinon ils vont vouloir vous manger.

Elle accepte la cigarette et inhale la fumée en s'étouffant. Puis elle le voit : il est très grand, avec des yeux gris et des cheveux noirs. Il a un visage patricien. Il ressemble à l'homme qu'elle a vu en rêve. Son cœur s'emballe. Non, non, se répète-t-elle. Il fume avec une belle nonchalance.

Une femme vêtue d'une robe indienne et portant d'innombrables bracelets se poste devant le groupe et dit :

— Bienvenue. Je suis Blue. Suivez-moi.

On se dirige vers une ruelle. Blue pousse la porte d'une sorte de loft désaffecté. À l'intérieur, des chaises sont disposées en rond. L'obscurité apaise Marie-Christine. Elle compte les participants : ils sont six en tout.

Blue allume une chandelle et commence à parler.

— Nous avons une nouvelle Illuminaire. Nous allons tous nous présenter. Moi, je suis Blue. Je suis cartomancienne et j'ai des dons de voyance. Je dirige ce groupe depuis six mois. Nous sommes tous ici parce que nous avons des visions.

Marie-Christine se lève et se présente.

— Je vois un drôle d'homme qui dit s'appeler le Grand Zorg. Il ressemble à un moine.

— Ah, vous voyez Dieu, dit la femme noire à l'uniforme. Appelez-moi M. Shelley. C'est mon nom de plume. Oui, j'écris. Mais je n'ai plus de travail. Avant, je bossais pour Garda et je surveillais l'argent. Mais l'argent est sale. Une guerre se prépare, je vous le dis.

Le bel homme aux yeux gris se lève. Marie-Christine n'ose pas le regarder.

— Moi, c'est Sy. Mais mon vrai nom est Sydney, un nom que je déteste. Mon père est anglophone et ma mère est parisienne. Et j'ai choisi le français. Je suis un drogué. C'est une vraie profession que de se droguer ! Et j'ai vu Dieu. Il portait une grande tunique bleu clair. Il m'a dit : « Tu dois sauver le monde. » Depuis, ma vie a changé. Chose certaine, j'ai compris que le salut vient avec beaucoup d'humilité.

Il se rassied. Puis un homme encore jeune, lui aussi grand, au teint basané, avec de longs cheveux sombres et des yeux noirs, prend la parole.

— On m'appelle Prométhée. Dans mon cas, le dieu que je vois ressemble à Zeus. Et je vole le feu aux dieux pour le donner aux humains.

Il actionne un briquet et une longue flamme lui éclaire le visage.

Enfin, un homme d'une cinquantaine d'années se lève. Il a des yeux vaguement bridés et des traits réguliers. Il est d'une minceur souple. Un peu de blanc strie ses cheveux noirs.

— Je suis Finn. Mes parents étaient norvégiens. Ma mère était d'origine laponne, mais mon grand-père était mongol, d'où mon air asiatique. Je suis livreur pour un restaurant. Le dieu que je vois est un croisement entre Bouddha et saint François d'Assise. J'adore les chats et les chiens. Et Dieu m'a dit : « Tu dois faire le bien. »

Il se rassied.

Blue reprend la parole dans un cliquetis de bracelets s'entrechoquant.

— Nous sommes tous d'accord : Dieu existe. Il s'est manifesté à nous. Sans doute que d'autres, ailleurs dans le monde, le voient. Nous sommes ici pour nous épauler. Il faut faire attention à nos ennemis. Le système fait de nous des tarés. Les mystiques ont toujours été persécutés.

Marie-Christine se lève.

— Mon Grand Zorg m'a parlé des NaZ avec un z majuscule. Si j'ai bien compris, ce sont des nazis en plus pervers. De plus, après avoir bu un café dans un Starbucks, je me suis retrouvée à l'hôpital.

Un murmure parcourt le petit auditoire.

— Nous sommes tous allés à l'hôpital, reprend Blue. C'est un lieu d'extermination. De plus, les médecins peuvent nous interner. Il faut savoir se dissimuler.

Marie-Christine tait ses objections. Pour elle, le Grand Zorg demeure un phénomène étrange ou, mieux, une simple image qu'elle voit un peu par hasard. Elle est toutefois soulagée de rencontrer ces Illuminaires.

Prométhée prend la parole.

— Moi, j'étais en jaquette quand je me suis sauvé de l'Hôtel-Dieu. Je me suis retrouvé là parce que je m'étais évanoui dans le métro. Je vous le dis : l'air était toxique. Mais ils ont pris de mon sang. Je suis certain qu'on l'a bu.

Il hoche la tête avec tristesse.

— Des barbares dominent le monde, conclut-il.

Finn toussote.

— Manger le corps du Christ, boire du sang, quelle monstruosité ! Rien ne les arrête.

— Oui, et notre rôle est de faire connaître Dieu, dit Blue.

— Mais en nous protégeant, ajoute Sy.

Marie-Christine n'ose pas regarder Sy. Trop beau, songe-t-elle. Elle lance d'une voix sourde :

— En effet, le Mal existe sans doute.

Après de longs échanges sur le sujet, Blue se lève et tape des mains.

— Bon, bon. Nous pouvons clore la réunion. N'oubliez pas : il y a un endroit où nous sommes en sécurité. C'est à La Croissanterie de la rue Sainte-Catherine. D'ailleurs, Sy y travaille. Sy, n'est-ce pas que c'est un havre de paix ?

— Oui, vous serez protégés.

— Notre prochaine réunion aura lieu ici la semaine prochaine. Peut-être recruterons-nous d'autres Illuminaires.

M. Shelley brandit le poing.

— Vive la liberté ! La liberté, c'est la haine de l'argent. Et j'ai vu assez d'argent pour savoir qu'il corrompt l'âme.

Lorsqu'elle retrouve la rue, Marie-Christine cligne des yeux. Elle peut à peine supporter ce soleil presque orange.

Elle retourne chez elle en marchant d'un pas pressé. Elle ne se sent en sécurité qu'après avoir verrouillé la porte. Elle s'allume une cigarette et s'assied devant la fenêtre. Ainsi font les fous, se dit-elle. Apparemment, les fous aiment fumer en regardant les arbres. Elle se détend. Le Grand Zorg flotte devant le mur.

C'est alors que le téléphone sonne.

Elle hésite un moment puis répond.

— Marie-Christine Arbour ? dit la femme qui roule ses r.

— Oui.

— Nous vous avons fait parvenir un questionnaire à remplir sur la santé mentale.

— Je comptais justement le remplir, ment-elle.

— Bon. Nous l'attendons.

— La vie est belle, dit-elle d'une voix étranglée.

Et elle raccroche, incapable de parler. Elle respire par saccades. L'Association psychiatrique l'a-t-elle vraiment ciblée par hasard ? Elle se convainc qu'il ne s'agit que d'une coïncidence. Ces gens ne peuvent pas savoir qu'elle voit le Grand Zorg.

Pour se calmer, elle se sert un verre de vin et en boit une grosse gorgée. Elle s'amollit. Elle se console en pensant aux Illuminaires. Elle n'est plus seule. Elle a l'idée d'appeler Marc et de tout lui dire. Mais elle se ravise. Marc, si raisonnable, lui dirait sans doute qu'elle déraille. Elle ne démord pas de sa version des faits : on a cherché à l'éliminer et on la surveille.

Le téléphone sonne à nouveau. Elle est immobilisée par la frayeur. Le répondeur se met en marche et elle entend une voix assourdie de femme dire : « Je suis ta mère », suivi d'un drôle de vrombissement. Elle s'empare du récepteur et crie : « Cette blague a assez duré ! » Mais l'intruse a déjà raccroché.

Elle prend son album de photographies d'enfance. Après tout ce temps, elle a tendance à oublier le visage de sa mère. Oui, la voilà qui rit. Elle était belle. D'ailleurs, Marie-Christine regrette de ne pas lui ressembler. En réalité, elle trouve étrange de ne ressembler à personne dans la famille.

Mais qui appelle ? Un fantôme ?

Elle se recroqueville sur son futon.

Elle croit entendre une berceuse.

PAUL IS A BABY DOLL

ELLE TÉLÉPHONE À ZOÉ, dont le cynisme la revigore.

— Tiens, je me demandais ce que tu devenais ! s'écrie- t-elle.

Marie-Christine dit qu'elle a maintenant écrit une trentaine de pages. La dernière phrase est « Le sexe à la fin s'invente ».

— Je crois que l'homosexualité représente une évolution, ajoute Zoé d'un ton moqueur.

Et elle invite Marie-Christine au Saint-Sulpice.

— T'enivrer te ferait du bien. Et il faut aussi danser un peu. Tu risques de faire une dépression à chercher une grande signification à *S/Z*. Je t'attends à 20 h.

— J'y serai, promet Marie-Christine, qui veut redevenir une femme normale pour qui le réel est un point d'ancrage.

Elle s'habille simplement, elle évite de se maquiller les yeux, car il lui semble que son regard a changé, plus clair, sans profondeur, avec des pupilles dilatées.

Elle descend dans le métro en se disant « tant pis ». Elle pense à la mort. Tous les visages, sous la lumière blanche, sont menaçants. Elle tient le coup. Elle sort du wagon en courant. L'essoufflement la gagne vite. Geste paradoxal : arrivée dans la rue, elle s'allume une cigarette même si elle croit que son cœur est abîmé. Elle ne veut qu'une chose : reprendre son existence d'intellectuelle désabusée. Dans la nuit, les passants ont l'allure de spectres. Et les peaux luisent comme du phosphore. Elle prend une grande inspiration et s'avance vers l'entrée du bar. Zoé danse, vêtue d'une robe provocante. Elle sourit lorsque Marie-Christine s'approche d'elle.

— Viens, allons nous installer à une table, dit Zoé.

Marie-Christine s'assied en s'empêchant de poser les mains sur ses genoux comme une écolière.

— Une bière ? suggère Zoé.

— Oui, réussit-elle à dire.

La musique fait vibrer le plancher et elle boit en feignant l'aise. Pendant ce temps, Zoé parle à bâtons rompus. Marie-Christine se doute qu'elle a pris de la cocaïne.

– J'ai eu un client qui avait comme fantasme d'être persécuté par une nazie. J'ai dû le fouetter vêtue d'un string noir. Il pleurait. Je suis certaine que Deleuze aurait aimé cette scène. Puis l'automne s'annonce froid. J'aurai bientôt terminé mon mémoire. Hervé Guibert me fascine. Sa franchise quelquefois brutale me fait du bien. Je n'ai jamais réussi à patiner. Je tombe invariablement. Mes escarpins sont trop serrés, mais j'ai besoin de souffrir. Je me grandis de dix centimètres. J'aurais voulu être une géante et recevoir une pierre en plein front. Mourir peut être si beau.

Marie-Christine est engourdie, mais elle boit sa bière avec entêtement. Il ne lui déplairait pas de tomber par terre.

Puis elle le voit : Paul est vêtu d'un pantalon de cuir noir et d'une chemise blanche négligemment ouverte. Il embrasse à pleine bouche un garçon à l'allure banale. Elle détourne la tête. Mais Paul s'approche d'elle avec un sourire ambigu. Il s'assied devant elle.

– J'ai pris de l'ecstasy et je plane, annonce-t-il.

Il sort un stylo de sa poche et s'empare du poignet de Zoé. Il écrit quelque chose sur la peau. Zoé montre son poignet à Marie-Christine. « Le temps s'arrête ici », lit-elle. Paul est sans doute dangereux à sa manière. Il lui donne le stylo.

– Maintenant, écris sur moi, dit-il.

Elle observe cette peau diaphane où paraissent des veines bleues.

« Baby doll », écrit-elle.

Paul lit l'inscription et éclate de rire. Cette spontanéité déroute Marie-Christine, elle qui n'a connu de Paul que sa mesure lasse. Il lui tend une serviette en papier et lance :

— Écris quelque chose. Tu m'amuses.

Elle ne dit pas « je vous obéis, ô roi ».

Elle griffonne sur la serviette :

S sexe saturation ou entre deux voyelles comme un Z

Z castration ou nivellement libérateur

N négature

NN en enlevant les deux dernières pattes on a un M

M le mal

W M inversé

W ouverture vers le haut

M ouverture vers le bas

S/Z l'homme est une femme

rédemption

W deux fois V

la vvérité est l'ultime objet de la quête

Paul lit ce qu'elle vient d'écrire et dit :

— Oui, mais tu as oublié SS, qui en réalité veut dire sexe-sexe, qui est lié à l'absence-présence.

Zoé sourit, sa robe s'est relevée, dévoilant un slip noir en dentelle.

Marie-Christine est de nouveau étourdie, elle peut à peine supporter la vue de ces gens qui parlent, les bouches sont trop mobiles, les yeux luisent comme s'ils baignaient dans l'huile. Elle se lève abruptement.

— Bon, j'y vais, annonce-t-elle.

— Mais la soirée est jeune ! proteste Zoé.

— Je ne veux pas rater le dernier métro, prétexte-t-elle.

— Comme en temps de guerre, blague Paul, qui a la main posée sur son entrejambe.

Elle ne pense qu'à fuir. L'espace semble rétréci. Il faut oublier le plaisir. Elle s'esquive et regagne la rue. Elle hèle un taxi et s'assied sur la banquette arrière. Un chapelet pend au rétroviseur et la vue de la croix la met mal à l'aise. Le chauffeur a les cheveux coupés très courts. Il ressemble à un militaire. Elle donne l'adresse d'une voix faible. L'automobile ne cesse d'accélérer pour freiner abruptement. Elle remarque sur l'avant-bras de l'homme un tatouage représentant une sirène. Comme une sirène, elle aurait chanté afin de rendre les marins fous. Mais Marie-Christine sait qu'elle a une voix quelconque. « C'est ici », lance-t-elle. Elle jette un dernier coup d'œil à la croix qui ballotte et tend l'argent. Payer, geste salvateur.

Elle se réfugie dans son appartement.

Le Grand Zorg est là.

— Zoé est-elle une NaZ ? demande-t-elle.

Il n'y a pas de réponse.

Certes, la décadence de Zoé a quelque chose de sinistre. Et les jeux de séduction n'amusent plus Marie-Christine.

Elle a un message sur son répondeur. La voix de son père emplit la pièce. « Rappelle-moi », dit-il sur un ton qui n'annonce rien de bon. Il veut sans doute encore lui faire des remontrances. Elle l'appellera demain.

Elle se couche et cherche le sommeil. Elle croit percevoir une odeur de viande brûlée. Elle a tout à coup l'image de corps incinérés. Cette drôle de neige qui tombait sur Auschwitz était de la cendre. Voilà peut-être ce qui se prépare. Elle se rappelle le visage trop amène de Fritz. Fritz Tür, friture.

Elle sombre dans un sommeil agité.

Dans son cauchemar, Rob se tenait devant elle, nu. Et l'appartement n'avait plus de murs. Elle courait sans avancer. Au loin, Sy lui envoyait la main. Lorsqu'elle l'a enfin rejoint, il s'est transformé en gros homme sans visage.

Elle se lève avec un goût amer sur les lèvres.

Elle boit quelques cafés avant d'appeler son père. Elle l'imagine vêtu d'un short, jouant au golf dans un coin de paradis. Mais elle ne l'envie pas : elle a toujours aimé les paysages austères de l'hiver.

— Oui, dit le père.

— C'est moi, se contente-t-elle de dire en attendant la suite.

— Comment va la vie ? Tu sais, nous sommes tous maîtres de notre destin.

Elle se dit que si elle a un destin, il lui échappe.

— Je ne sais pas. La fatalité est peut-être plus forte que la volonté.

Elle regrette d'avoir dit ça.

— Tu lis trop. Tu as le don de t'imaginer des choses. Un vrai travail te ferait du bien.

— Mais je travaille beaucoup, proteste-t-elle.

— Oui, mais tu patauges dans le vide.

Elle tente de changer de sujet.

— Alors, il fait beau en Floride ?

— Magnifique ! D'ici, je vois l'océan. Tu devrais venir me voir. Cela fait deux ans qu'on ne s'est pas vus.

— Peut-être bien, oui.

— Tu ne sais pas que dire, peut-être. Sois donc plus affirmative !

— Mais je ne peux...

— Bon, au revoir alors. Appelle-moi une prochaine fois.

Il a raccroché.

Dire que cet homme lui a donné le biberon ! Maintenant, il a des couteaux dans la bouche.

Ses seuls alliés sont désormais les Illuminaires. Elle se rendra à la prochaine réunion.

Elle retrouve les cinq autres Illuminaires avec un soulagement mêlé d'appréhension. Blue est toujours vêtue de façon aussi flamboyante. Elle se lève et déclare :

— Ils sont là.

Prométhée hoche la tête avec vigueur.

— Nous pouvons les appeler des nazis, dit-il, ou, comme Marie-Christine l'a suggéré, des NaZ. Ils se préparent à envahir le monde.

Prométhée se lève en tendant devant lui ce qui ressemble à un Taser. Il porte un complet de mauvaise coupe. C'est peut-être avec coquetterie qu'il défie la mode.

— Voyez, dit-il en tendant le bras, ce gadget sert à donner des décharges électriques. C'est un receleur qui me l'a refilé. Il est facile de s'en procurer. Il paraît qu'on peut immobiliser ses victimes. Et où les mène-t-on ? À l'hôpital. Ma théorie est qu'on cherche à nous inoculer le VIH.

Marie-Christine réprime un mouvement de panique. Son sang serait-il impur ? Elle regarde autour d'elle. Tous sont sereins. Il y a surtout Sy qui ressemble à une star de cinéma des années 1930. Non, se répète-t-elle.

M. Shelley se lève et dit :

— Mais ils n'ont plus le même sigle. Comme l'a affirmé David Icke, le nouveau symbole du mal est le soleil noir.

Finn, qui transporte un petit chien dans un sac, prend la parole.

— Oui, je suis sûr d'avoir reçu un choc. Et je suis tombé. C'était dans un grand magasin. Mais j'ai réussi à fuir. Maintenant, je me balade avec Confucius, mon chien. Il me protège. Et chez moi, j'ai deux chats. Leur ronronnement est salvateur.

Il caresse la tête du chien qui ferme les yeux.

— Mais en plus du soleil noir, il y a aussi la colombe, le M et le W, lance Sy en allumant négligemment une cigarette.

Marie-Christine trouve trop belle cette voix grave et suave. Elle décide de parler à son tour. Elle réprime un tressaillement. Amour, sait-elle. Désastre de l'amour.

— Oui, cette histoire de colombe me surprend. Je croyais que c'était un symbole de paix. Et je ne peux que penser à Julia Kristeva qui a écrit un livre intitulé *Soleil noir*, où il est question de mélancolie.

— J'ai lu Kristeva, lance M. Shelley. Mais peut-être est-elle une nazie.

— Et le soleil noir, c'est l'éclipse. Quant à la colombe, c'est peut-être un code caché, dit Finn.

Blue se lève en tapant des mains.

— Idéalement, il faudrait toujours se déplacer en groupe. Notre point de ralliement demeure La Croissanterie, ne l'oubliez pas. J'y venais il y a trente ans, lorsque j'étudiais la religion.

Sous cette lumière, Marie-Christine trouve à Blue une ressemblance avec une vierge d'un tableau médiéval.

Blue se lance dans un long soliloque où elle parle de la nature du Mal. Elle affirme que voir Dieu est à la fois un privilège et une malédiction. Marie-Christine se serait autrefois moquée de tels propos religieux. Elle ne sait pas si elle réussira à s'intégrer au groupe.

— Donc, rendez-vous la semaine prochaine. Et faites attention au téléphone : on ne sait jamais qui écoute.

Tous se lèvent en silence.

Marie-Christine ne peut réprimer un malaise.

Elle s'assied devant le Grand Zorg qui a enfin commencé à parler.

— Le NaZisme, avec un grand z, c'est la dénaturation. La vérité n'existe pas pour le NaZ. Il réfute toute forme première. Il nie l'existence de l'amour. Il préfère les drogues. Il est séduisant. Mais, attention ! il a soif de sang.

— Et quoi encore ? demande Marie-Christine.

Mais la voix s'est tue. Le Grand Zorg est suspendu devant la fenêtre. Il a une posture humble et il semble regarder l'arbre.

Elle allume son ordinateur et réfléchit longuement à la phrase qu'elle compte écrire. Puis les mots s'imposent à elle. Elle écrit des phrases au hasard.

« Il est question ici de transcendance. Phonétiquement, le Z domine le S. La castration est à la fois un saccage et un épurement. Le glissement linguistique du S au Z opère une destruction des absolus. Et l'identité tend vers le vide. Le plaisir puise son essor dans la négation. »

Elle se lève et va se verser un verre de vin. Elle constate que les feuilles de l'érable ont commencé à sécher. Elle attend avec impatience le dénuement. Elle a toujours eu un penchant pour les décors saturniens. Elle a souvent rêvé d'être exilée comme Ovide dans un pays tout gris.

Mais voilà qu'une zébrure noire barre l'espace. Elle sursaute et fait un pas en arrière.

— Tu viens de voir la colère du Grand Zorg, dit la voix de femme.

Elle ne peut s'empêcher de s'exclamer :

— Mais qui êtes-vous ? Qu'ai-je fait ?

— Appelle-moi S. Je suis ton guide.

— Mais que se passe-t-il ?

— Le Mal risque de triompher.

— Et le Grand Zorg est-il un homme ?

— Non, il n'a pas de sexe. Mais pour des raisons pratiques, il se présente sous la forme d'un vieillard.

— Mais comment combat-on le mal ?

Elle n'entend pas de réponse. Elle croit voir une silhouette s'envoler vers le plafond.

— Non, ne pars pas ! crie-t-elle.

Elle agite le bras, mais elle s'escrime dans le vide.

Elle ne peut que se servir un autre verre de vin. Son destin se précise : elle doit exister sur plusieurs plans à la fois.

La décence l'empêche de protester plus.

Demain, elle ira à La Croissanterie. Décidément, ses seuls alliés sont les Illuminaires.

LA PLANQUE

ELLE SE FARDE ET EXAMINE LE RÉSULTAT. Elle continue à voir les petits personnages dans le miroir. Elle se regarde, mais elle ne sait pas si c'est bien elle. Le doute spéculaire mène-t-il à l'absence ? Elle ne croit plus avoir de profondeur. Dans son cauchemar, c'est bien Rob qu'elle voyait derrière le miroir. Peut-être l'observe-t-on ? Elle croit que son esprit lui joue des tours.

Elle se rend à l'arrêt d'autobus avec *S/Z* dans son sac.

Lorsqu'elle entre dans le bus, elle entend la voix de S. « Danger, danger », dit-elle. Marie-Christine évalue la situation. Il n'y a rien d'anormal. Un homme lit le journal. Une femme somnole. Elle reste debout.

Rendue à son arrêt, elle se dirige vers la porte. Elle active la sonnette, en vain. L'autobus continue de filer à toute allure. La panique la gagne. Et si l'homme se levait pour brandir un poignard ? Mais tout à coup, l'autobus freine. Elle se sent projetée vers l'avant. Elle réussit à sortir en courant.

Elle secoue ses mains afin de reprendre une contenance. Elle parvient à La Croissanterie après avoir trébuché à quelques reprises. Si elle décide d'y entrer, sa vie ne sera plus la même : elle deviendra une Illuminaire pratiquante. Elle voit Sy à travers la vitrine. Elle ne peut maîtriser les palpitations désordonnées de son cœur. Tant pis, se dit-elle en ouvrant la porte.

Blue et M. Shelley sont assises à une petite table. Blue a étalé devant elle des cartes de tarot. M. Shelley, toujours vêtue de son uniforme élimé, semble rêvasser en tenant ce qui ressemble à un manuscrit.

Lorsque Sy salue Marie-Christine, celle-ci rougit comme une couventine. Elle ne ressent que de la confusion.

— Je te sers un cappuccino ? Ici, tout est meilleur. Les multinationales n'ont pas réussi à fermer l'endroit. Bienvenue dans la résistance ! lance Sy.

Elle hoche la tête, muette. Elle s'assied à côté de Blue, qui commence à parler.

— Le satanisme, oui. Nous ferions tous de bonnes victimes. Sais-tu qu'il y a un trafic d'enfants dans le monde ? Parfaitement. On les vend aux riches. Et dans certains cas, on les mange.

Blue continue de tenir des propos de ce genre. Marie-Christine s'efforce de garder un visage neutre.

— Comme dans un conte de Grimm, finit-elle par dire.

Blue ne relève pas l'ironie. Elle brasse ses cartes de tarot. C'est au tour de M. Shelley de prendre la parole.

— C'est ma nouvelle, dit-elle en brandissant le manuscrit. Mais je me trouve dans une impasse. Je ne sais comment terminer l'histoire. Il y a vingt ans, une femme noire, grosse par-dessus le marché, n'aurait pas été publiée. Aujourd'hui, les choses ont un peu changé. Dis donc, toi qui fais de la littérature, pourrais-tu y jeter un coup d'œil ?

Marie-Christine est contrainte d'accepter, même si elle a des préjugés : elle anticipe en effet un désastre littéraire.

À ce moment, Prométhée fait son entrée, toujours vêtu d'un complet. Il s'affale sur une chaise en déclarant :

— Je les ai semés.

Sy, toujours aussi calme, demande :

— Avaient-ils un de leurs gadgets ?

— Oui, j'ai eu un choc, mais j'ai réussi à m'en tirer.

Sy dépose un verre d'eau devant Prométhée.

— Notre Prométhée ne boit que de l'eau, explique Blue.

Prométhée a allumé son briquet et il semble observer la flamme avec attention.

Marie-Christine finit son cappuccino, elle devient fébrile et elle a l'image d'elle marchant nue, les yeux bandés, près d'un précipice, avec Sy comme guide. Tout chez Sy est moderne, jusqu'au geste désintéressé. Elle le voit qui avale un comprimé.

— Oui, j'ai besoin de ma dose d'amphétamines. D'ailleurs, j'aime l'excès. C'est pourquoi je joue de la guitare électrique. J'organise une soirée à mon loft. Tu vas venir, Marie-Christine ?

Elle réussit à susurrer un oui qu'elle ne trouve pas assez mélodieux. Sy lui remet une invitation. Il est écrit : « Soirée fatale, 57, rue Prince, 21 h. »

Elle ne peut que regarder Sy qui sourit. Il exhibe sans pudeur ses longues dents irrégulières. Cette imperfection ne fait qu'exalter sa beauté. Elle se dit que Dorian Gray aurait ressemblé à Sy.

— Bon, j'y vais, dit-elle en s'inclinant avec déférence comme si elle était à l'église.

Elle met la nouvelle de M. Shelley dans son sac. On la salue. Elle fait désormais partie de cette petite famille improvisée. Elle n'a jamais eu une idée très claire de la famille, elle qui a été élevée seule par sa mère.

Elle marche un moment, puis s'arrête devant une affiche publicitaire. Une enfant toute luisante, treize ans à peine, peinte et surnaturelle, avec des jambes trop fines, tient une bouteille de parfum. Pornographique et pédophile, se dit-elle. Elle pense à Zoé, qui lui a avoué qu'elle cherchait à ressembler à une enfant. « La jeunesse vend », a-t-elle souvent affirmé. Marie-Christine sait que Zoé voit un chirurgien plastique. Elle tente de réfuter ses trente ans. Comme Nelly, elle dit vouloir mourir avant d'être déclassée. Les petites filles plaisent tant aux clients !

— Ainsi va la propagande naZiste, entend-elle.

C'est la voix de S, que Marie-Christine perçoit aussi clairement que si elle avait des écouteurs. Elle jette un dernier coup d'œil à l'affiche et constate une anomalie flagrante : les yeux ne semblent pas avoir de canaux lacrymaux. Ces grands yeux écarquillés ne peuvent pas pleurer. On a jugé bon d'effacer ce qui n'était pas nécessaire.

Elle se détourne et marche. Tous les passants qu'elle croise lui semblent suspects. Pire : les corps semblent plats.

Lorsqu'elle parvient à son appartement, elle est essoufflée et elle a trop chaud. Elle suce de la glace pour se calmer. Elle retire de son sac la nouvelle de M. Shelley et, poussée par la curiosité, elle commence à la lire.

PREMIÈRE PARTIE DE LA NOUVELLE DE M. SHELLEY

SOPHIE NE SAVAIT PAS SI ELLE AIMAIT CE TRAVAIL. Pourtant, elle posait avec piété. Elle offrait son visage à l'objectif de l'appareil photo. Elle se doutait qu'elle aurait la tête coupée. Le photographe s'appelait Franken et il avait l'habitude de trafiquer les photographies. Dans son laboratoire, il posait les jambes de l'une sur le bassin de l'autre, il arrachait les bras, il coupait les cous. Il avait pour ambition de créer la femme parfaite.

Franken avait en outre une collection de couteaux.

Sophie les a vus et elle a compris que Franken aimait trancher les jeunes femmes photographiées.

Autre lubie de Franken : il ne tolérait pas qu'on ferme la bouche.

« Ouvre, ouvre ! » ne cessait-il de dire.

Sophie obéissait même si elle savait que par la bouche on a accès aux viscères.

Un jour, Franken lui a ordonné d'enlever sa petite culotte. Elle s'est exécutée, convaincue qu'elle gagnerait plus d'argent. Franken n'a photographié que son visage. Pendant qu'elle se reculottait, elle sentait le regard de Franken posé sur son ventre. Elle a caché son nombril d'une main.

— Je n'ai plus de mère, a-t-elle dit.

— La nature ignoble de l'homme le contraint à pisser et à chier, a proféré Franken.

Elle n'avait que quinze ans et déjà on lui confirmait qu'elle était un monstre.

Elle (ou plutôt son image) a fait la page couverture d'une revue pour mariées. Franken avait réussi à lui allonger le cou. Un voile ridicule, de tulle blanc, lui couvrait le visage, mais on voyait ses yeux trop maquillés. Elle avait l'air d'une femme battue. Et il y avait sa bouche ouverte : néant, abîme. Elle s'est promis de ne plus manger. Malheureusement, comme Eliza, elle raffolait des petits chocolats. Elle en a enfourné toute une boîte. Le lendemain, Franken a dit : « Tu es grosse ! » Et elle a répondu : « C'est vrai. Il faudrait me découper les hanches. » « C'est justement ce que je comptais faire, car je suis plus fort que Zeus et je punis la laideur ! » s'est écrié Franken.

Il a disparu dans sa chambre noire. Elle a attendu sagement en feuilletant une revue remplie de filles à la bouche ouverte. Puis Franken a réapparu en brandissant une photographie. Il levait les bras comme un athlète victorieux.

Elle a regardé le cliché. C'était bien elle, mais avec le corps morcelé et squelettique d'une victime d'Auschwitz.

— Merci, a-t-elle dit. Maintenant j'ai de l'allure.

Elle ne se doutait pas que Franken allait devenir fou.

LE PARTY

MARIE-CHRISTINE S'HABILLE EN NOIR. On ne se trompe jamais avec le noir, se dit-elle. Puis elle applique du rouge sur ses lèvres exsangues. Ses yeux sont cernés. Mais cela lui donne un charme mortuaire, ce qui plaira à Sy.

Le Grand Zorg est toujours là. Réalité ou fantasme? Elle ne veut pas savoir.

Pour aller au loft de Sy, elle décide de prendre un taxi même si elle a peu d'argent. Elle n'a jamais su comment gagner sa vie. Elle en a déjà pour plus de vingt mille dollars en prêts. Plus tard, elle sera ruinée, mais elle aura un mémoire à son nom.

Le taxi est conduit par une femme à la chevelure rousse. Marie-Christine donne l'adresse et se renverse sur la banquette. Ce soir, elle n'a plus peur des gens.

On arrive dans un quartier inhabité où il y a des manufactures. Sinistre endroit, se dit-elle. Elle paie et les billets glissent entre ses doigts. Elle sort en faisant claquer la portière. Elle trouve le numéro 57 : c'est une porte peinte en rouge avec une petite fenêtre grillagée. Elle cogne. La porte s'ouvre. Elle entre dans une grande pièce noire. Une musique techno la prend à la gorge. Elle marche en dansant un peu. Elle voit Sy qui discute avec une très grande femme aux cheveux noirs coiffés à la Ava Gardner. Elle souffre. Elle s'avance vers ce qui ressemble à un salon. Blue est assise sur un divan noir et elle a étalé ses cartes de tarot sur une table basse. Blue lui crie : « Bonsoir ! Le Diable est à l'envers. »

Elle constate que tous les Illuminaires sont présents. Prométhée erre en tenant son briquet qu'il allume fréquemment, Finn danse en tenant son sac dans lequel il y a le petit chien, M. Shelley fume une cigarette toujours vêtue de son uniforme. Et il y a d'autres invités, tous jeunes, à l'air blasé.

Elle voit au fond du loft des gens assis autour d'une autre table basse. Sy y est. Ils se font des lignes de cocaïne. Ils sont pourtant d'un calme olympien. Tout cela doit coûter très cher. Elle-même n'a essayé qu'une fois. Elle a vidé son portefeuille et a inhalé une petite quantité de poudre. Elle est devenue volubile durant quinze minutes, puis elle a ressenti une terrible fatigue.

Elle se tend. Voilà que Sy se dirige vers elle. Oui, il a des étoiles dans les yeux. Il s'agenouille devant elle. Elle croit mourir un peu.

— Nous vendons de la coke, du hasch, de l'ecstasy et de la bière, dit Sy comme s'il récitait une litanie.

Pour ne pas paraître bégueule, elle lance avec détachement :

— Tiens, une bière.

Sy va chercher la bière. Il lui remet une canette en disant :

— Tiens, je te l'offre.

Il s'incline (avec ironie ? Ou, au contraire, avec déférence ?) et il sourit. Comme une muse, se dit-elle : inaccessible, parfait, immatériel. Sa peau dans l'obscurité brille comme du mercure.

— Merci, répond-elle, incapable de trouver autre chose à dire.

Sy s'éloigne. Elle croit voir sur son talon un croissant de lune d'un bleu électrique.

— Sainteté, entend-elle.

C'est la voix de S qui couvre un moment le vacarme.

En titubant, elle s'avance vers la piste de danse improvisée. Elle réussit à se balancer au rythme de la musique endiablée. Elle fait en réalité une danse nuptiale en surveillant Sy du coin de l'œil. Elle regrette d'avoir une allure aussi ordinaire. Marc lui a bien dit avant leur séparation : « Au début, je te trouvais terne. C'est ta façon d'être malheureuse qui m'a conquis. » Et malheureuse, elle l'est maintenant.

Finn s'approche d'elle. Ce visage vaguement asiatique a beaucoup de poésie. Il lui prend le bras et l'entraîne vers un balcon. L'air frais apaise Marie-Christine.

— Confucius est mon protecteur, affirme Finn.

Elle caresse le chien qui agite la queue.

— Je suis né à New York, continue Finn. Ma mère travaillait pour le consulat de Norvège. Je ne sais pas comment elle réussissait à endurer la ville. Bref, je suis venu à Montréal pour fuir le chaos. J'ai fait des études de sciences politiques à McGill. J'ai appris le français rapidement. Et voilà : maintenant, je suis livreur. Oui, j'ai besoin de bouger. Je lis régulièrement *Le prince* de Machiavel. Et Sartre me plaît aussi.

— Oui, l'enfer c'est les autres, un cliché moderne, lance-t-elle avant de boire une gorgée de bière.

— Ah, ah ! Des fois, j'y crois. Mais ce soir, j'ai pris de l'ecstasy. Ça rend sociable, prétend-on. Pourtant, je ne sens rien. Sy croit que du fait de ma nature bouddhiste, la drogue ne peut que me détendre.

— Moi, je crains les états seconds. J'ai essayé le haschisch, mais je n'ai ressenti que de la panique. Je n'ai rien d'un Michaux.

Confucius jappe et enfonce son museau humide dans la paume de Marie-Christine.

— Mais il t'a adoptée ! dit Finn en souriant et un réseau de rides se forme sous ses yeux.

Les autres Illuminaires les rejoignent sur le balcon.

— Je suis bleue, dit Blue.

— Je crains les monstres, dit M. Shelley.

— Les mortels m'attristent, dit Prométhée.

— Vive la cocaïne ! s'exclame Sy.

M. Shelley s'approche de Marie-Christine.

— As-tu lu mon manuscrit ? demande-t-elle.

— Oui, la première partie. C'est intéressant, dit Marie-Christine en toute honnêteté.

— Je veux parler de l'oppression des femmes et de l'ethnocentrisme.

— Eh bien ! Je crois que c'est réussi.

C'est alors que Marie-Christine voit Fritz qui se pavane sur la piste de danse. Elle cache son affolement. Heureusement, il s'éloigne, se dirigeant vers la table à cocaïne.

Elle est encore persuadée que Fritz a tenté de lui faire du mal. Sa déposition s'est sans doute perdue dans la paperasse administrative. Elle aurait bien voulu revoir ce flic qui éclatait dans son costume.

Elle décide que le moment est venu de s'en aller. Elle salue les Illuminaires en prétextant une grande fatigue.

Marie-Christine voit Sy embrasser la grande fille. Elle reçoit un coup de poing au cœur. Sy semble si vrai qu'il en devient faux.

Elle se précipite dans la rue. Comment faire pour rejoindre Sy dans son monde, un monde de vitesse ? Est-ce cela, un saint ?

Elle croit être suivie et elle accélère le pas. Au moment de bifurquer sur la rue Notre-Dame, elle a une vision spectaculaire : un Grand Zorg énorme, de la taille d'un immeuble, s'allume devant elle. C'est la première fois qu'elle le voit hors de l'appartement. Elle se retourne : un homme vêtu de noir marche avec vigueur, elle remarque qu'il garde ses mains dans ses poches. Elle commence à courir. Elle arrive à son immeuble. L'homme a couru lui aussi. Est-ce un revolver qu'il brandit ? Elle s'élance dans les escaliers et se barricade dans son appartement. Elle est persuadée d'entendre un coup de feu. Elle va à la fenêtre. La lumière du réverbère donne à la peau de sa main une teinte bleutée. Sang bleu, sang sacrificiel, se dit-elle.

Sa respiration ralentit peu à peu. Elle se fait du thé et elle fume une cigarette.

Rassurée par le silence, elle s'étend et ferme les yeux.

— Saint, Sy, sexe, murmure-t-elle.

LES PHOTOGRAPHIES

PÉRIODIQUEMENT, elle feuillette son album de photographies afin de ne pas oublier sa mère. C'est aussi un moyen de se rappeler qu'elle a un père.

Il n'y a qu'une trentaine de photographies. Là, sa mère, les yeux lourdement fardés, la tient entre ses bras. Plus loin, son père la brandit comme un trophée. Elle a donc un jour été voulue.

Mais il y a quelque chose qui cloche. Elle a toujours eu le pressentiment d'une imposture.

Elle examine les photographies plus en détail. Elle se souvient de ce que racontait sa mère : elle serait née avec des cheveux bruns frisés et, vers l'âge de six mois, des cheveux blonds auraient commencé à pousser. Mais est-ce possible ? Sa mère aurait-elle menti ? Et pourquoi ?

Elle s'attarde à chaque photographie. Puis ça lui vient. Voilà l'anomalie : d'une photographie à l'autre, elle ne se ressemble pas. La morphologie de son visage varie. Là les cheveux sont noirs, ailleurs ils sont blonds. Là la bouche est mince, ailleurs elle est charnue. Et il y a les yeux : tantôt sombres, tantôt clairs. Il est vrai que les enfants sont souvent informes, raisonne-t-elle. Elle referme l'album d'un geste brusque. Il lui vient une idée : aurait-elle été adoptée ? Plus : ses parents auraient-ils recueilli plusieurs enfants avant de la choisir, elle ? Cette histoire d'accouchement interminable à la pleine lune ne serait-elle que fabulation ?

Pour se distraire, elle va chercher son courrier. Rob est dans le vestibule, portant ses lunettes carrées.

— Les études peuvent vous épuiser, dit-il en souriant.

Elle croit voir une menace dans ces yeux trop pâles. Au fond, Rob est-il réel ?

— Mais j'ai presque terminé mon mémoire, marmonne-t-elle.

Il grimace. Elle remarque une repousse grise à ses cheveux. Elle le croyait blond, mais il est évident qu'il se teint les cheveux. Cherche-t-il maintenant à révéler son âge ? Elle feint l'aise et le salue de la main. Elle ne peut oublier ce rêve où Rob paraît derrière le miroir.

Elle referme la porte le plus silencieusement possible.

Elle s'empare de l'album et l'ouvre à nouveau. Oui, il y a quelque chose qui cloche. À qui devrait-elle le montrer ? Elle pense à Zoé, qui, à sa façon, est si raisonnable. Elle ne s'adressera pas aux Illuminaires : elle ne les connaît pas assez.

Elle est désormais persuadée qu'il y a plusieurs enfants. Que dira Zoé ? Elle lui conseillera sans doute de tout oublier. Elle-même n'a pas vu ses parents depuis longtemps. La famille, selon Zoé, est une prison dont il faut s'échapper.

Elle tente de penser à autre chose en lisant la suite de la nouvelle de M. Shelley.

DEUXIÈME PARTIE DE LA NOUVELLE DE M. SHELLEY

FRANKEN AIMAIT MALMENER SES MODÈLES. Mais le résultat était toujours probant. « Vous n'êtes que de la chair à perfectionner. C'est moi qui vous donne votre unité. Mieux : je vous donne la vie », disait-il.

Ce qu'il exigeait, c'est que les modèles aient faim et soif au point de s'évanouir. Et il leur ordonnait de dire le mot « sodomie » devant l'appareil photo. Elles s'exécutaient. Sophie ne savait pas ce que voulait dire ce mot. Elle a dû le chercher dans le dictionnaire. « Pratique du sexe anal », a-t-elle lu. Elle a rougi. Elle ne savait si elle détestait Franken. Elle acceptait pourtant son autorité : elle avait besoin de se voir en photo. C'était sa jeunesse qu'elle bradait.

Puis elle a décroché un contrat pour une compagnie de maquillage prestigieuse. L'agent l'a félicitée : elle avait des yeux parfaits, avec un blanc impeccable. Franken serait ravi.

Elle s'est présentée au studio tôt le matin. Franken avait une chevelure à la Albert Einstein et des rumeurs faisaient de lui une sorte de génie. En effet, il créait des images avec une virtuosité scientifique.

Une maquilleuse l'a barbouillée. Le processus a duré deux bonnes heures. À la fin, Sophie portait une sorte de masque funéraire. Si elle avait fermé les yeux, on aurait sans doute fait d'elle un magnifique cadavre.

Elle s'est installée devant l'appareil photo. Elle a répété d'une voix monocorde le mot « sodomie » tandis que le flash la mitraillait. Franken portait des lunettes à verres épais et elle se demandait ce qu'il pouvait bien voir.

La séance terminée, elle s'est changée en silence dans la salle de bains. Puis, voyant qu'il n'y avait personne, elle a ouvert la porte de la chambre noire. Ce qu'elle a vu l'a sidérée : il y avait, épinglés au mur, des visages dont on avait enlevé les yeux. De plus, un long couteau qui semblait couvert de sang trônait sur le comptoir. Elle a rapidement refermé la porte, s'est retournée et a vu Franken qui se tenait non loin d'elle.

— Ce sont mes créatures. Tu sais maintenant, a-t-il dit.

Il a brandi le couteau.

Et Sophie a commencé à courir.

MÉMOIRE OU ANTIMÉMOIRE

ELLE A RÉUSSI À CONTINUER SON MÉMOIRE. Elle a écrit : « Le S, c'est aussi la saturation, un excès donc, comme dans « ces serpents qui sifflent ». Quand le S devient Z, il me semble que la castration a une double fonction : l'ablation et le nivellement. En somme, avec l'apparition du Z, le sexe s'efface. Ce que nous comprenons dans Sarrasine, c'est que la femme parfaite est ici un homme tronqué. Zambinella le castrat porte une robe. La robe, c'est aussi la fluidité : elle cache soit le plein, soit le vide. C'est dans le vide que s'actualise le désir. Oui, Sarrasine, séduit par cet attirail de femme, est attiré par le vide. »

Elle a quelques pages imprimées à présenter à Kathy Samson, ce qui la soulage. Est-ce que son projet est une entreprise suicidaire ? Travailler *S/Z*, c'est s'interroger sur l'absolu du sexe. Au fond, qu'est-ce qu'une femme ? On en revient toujours à la côte d'Adam. Mais, se dit-elle, la femme n'est pas qu'un leurre et elle compte bien le prouver.

— Les NaZ n'aiment pas les femmes, entend-elle.

C'est la voix suave de S.

Elle regarde autour d'elle.

— S, montre-toi ! ordonne-t-elle.

Mais il n'y a que le Grand Zorg qui flotte dans le coin de l'appartement.

Elle met ses livres dans son sac. Une sueur froide inonde son dos. Elle sort en haletant. Elle est terrifiée à l'idée d'aller prendre le métro. Mais avec détermination, elle descend sous terre, vers l'Hadès, croit-elle. Sur un mur, elle voit un autocollant : il s'agit d'un soleil noir. Elle se précipite dans un wagon. Les voyageurs sont aussi blafards qu'à l'accoutumée. Mais il y a un homme d'un certain âge qui porte du rouge à lèvres. Elle se met devant la fenêtre. Elle se perd dans son image.

Toujours affolée, elle sort du wagon et gravit les escaliers. En entrant dans l'université, cette drôle de cathédrale, elle ne réussit pas à tempérer son rythme. Elle se dirige vers le bureau de la professeure avec l'impression de parcourir un labyrinthe.

La docteure Samson est là, l'air concentré, avec sur le nez ces lunettes de presbyte qui trahissent son âge. Elle est comme toujours lourdement fardée. De plus, elle porte des Doc Martens, comme les punks de la rue Sainte-Catherine.

— Ah, bonjour ! Je vous attendais.

Elle se redresse, sourit (un sourire presque fermé) et elle pose les mains sur son bureau pour signaler le début de l'entretien.

Comme d'habitude, Marie-Christine oublie ce qu'elle comptait dire : le discours intérieur se désagrège.

— Eh bien, j'ai écrit autre chose, peut-elle seulement répondre en déposant son texte sur le bureau.

La professeure lit rapidement les quelques pages et dit :

— Votre texte est peut-être trop personnel, trop subjectif si l'on veut. *S/Z* est une analyse structuraliste pas à pas. Mais il a l'ampleur des grands discours philosophiques. Lexies, codes : c'est presque une entreprise ésotérique. Pourquoi ne pas inclure dans votre mémoire une analyse de texte à la Barthes ?

— Justement, j'ai lu un drôle de texte d'un écrivain inconnu qui met en scène une jeune mannequin et un photographe. Il y est indirectement question du pouvoir de la beauté. Comme on le sait, pour Barthes, la beauté n'existe que par comparaison. Je vais y réfléchir.

— Et qui est l'écrivain ?

— Elle se fait appeler M. Shelley. Ce n'est pas une universitaire. Elle fait partie d'un groupe de gens que j'ai rencontrés par hasard. La contre-culture, si l'on veut. Il y en a même un qui se fait appeler Prométhée, explique Marie-Christine en espérant ne pas en avoir trop dit.

— Bien, bien. Surtout, ne vous compliquez pas la vie. Nous ne sommes qu'à la maîtrise. Une analyse simple et pertinente suffira. Nous nous reverrons la semaine prochaine. Avec l'arrivée de l'automne, on travaille généralement mieux.

Marie-Christine se lève et elle remarque sur le bureau l'essai de Julia Kristeva *Soleil noir*, ce qui la surprend, puisque la professeure Samson a souvent déclaré qu'elle trouvait la prose de Kristeva trop alambiquée.

Elle a la gorge sèche, le regard du professeur est trop pénétrant, un regard de machine. Elle voudrait avouer : je désire en fait rédiger un antimémoire, une pure digression sans introduction ni conclusion, un éloge à la vie, un écrit se rangeant du côté de la marginalité. Mais elle se tait, car elle sait que le chaos dont elle rêve est une forme de délire.

Elle retrouve la rue Sainte-Catherine avec soulagement. Elle pleurerait. Elle se dirige vers le quartier gay, dont elle aime l'atmosphère. Elle se souvient qu'on l'a déjà chassée d'un bar en lui disant : « Ce n'est que pour les hommes. » Elle n'a pas été insultée : elle se demandait plutôt si on s'aimait à la sauvette dans les W.C.

C'est alors qu'elle le voit. Sy fait le tapin, les cheveux lissés, vêtu de jeans moulants. Elle doit s'empêcher d'aller vers lui. De toute manière, elle bégaierait.

Un homme portant une veste en cuir noir accoste Sy. Ils échangent quelques mots et Sy le suit. Ils entrent dans un petit hôtel.

Sainteté, se dit-elle.

Elle se détourne. Elle voit le Grand Zorg suspendu à quelques mètres du sol. Ses lèvres bougent.

— Sy sait, entend-elle.

Elle regarde autour d'elle : elle semble bien être la seule à voir le Grand Zorg. Tous les visages n'expriment que de l'indifférence.

— Attention, attention, tu es en danger !

C'est cette fois la voix de S qu'elle entend.

Elle baisse la tête et marche rapidement. On la bouscule. Elle croit recevoir un autre choc. Elle s'engouffre dans une pharmacie. Elle parcourt les allées, convaincue qu'elle va se plier en deux comme une fleur fanée. Toutes ces femmes peinturlurées semblent fondre. Elle sait qu'en italien « maquillage » se dit *trucco* : truquer, donc mentir. Elle entrevoit dans une glace son visage blême et elle se demande une fois de plus ce qui se cache derrière le miroir. Elle revoit Sy : front haut, main découpée. Elle se demande comment il s'y prend avec ses clients. De plus, il se fait vieux pour faire la pute. Il est vrai que la cocaïne coûte cher, qu'elle abîme le cœur, mais sans doute que Sy a un cœur indestructible. La déchéance sociale ne peut que mener à la rédemption.

Elle ne sait où aller. La lumière des néons l'étourdit. Et il y a son mémoire. Elle est persuadée d'écrire en temps de guerre. Et l'ennemi, c'est le NaZ. Sans doute que tous ces gens qui achètent des choses sont des NaZ. Elle accélère le pas. Elle a l'impression de respirer un air délétère.

Elle se rend au métro. Elle obéit sans doute à une pulsion de mort.

— Un passage, demande-t-elle à l'homme dans la boîte.

— Non, dit-il.

— Je ne peux pas obtenir un passage ?

— Non, j'aime pas votre gueule. Si vous aviez demandé dix passages, je vous les aurais donnés.

— Alors, dix passages.

— Trop tard. Vous avez demandé un passage.

— Mais j'ai l'argent.

— Non, vous êtes pauvre.

— Vous refusez donc de me laisser passer ? Je vais porter plainte.

L'homme ricane. Il a une barbe naissante et des yeux très bruns.

— Personne ne va vous croire. Et puis je suis protégé par le syndicat.

— Vous êtes fou !

— Dans une autre vie, j'ai été un roi. Et personne ne peut s'opposer à mes désirs.

— Alors je vous donne dix dollars à vous et vous me vendez un billet.

— Inutile d'insister. Je ne vous laisse pas passer. À une autre époque, je vous aurais envoyée à la guillotine.

Il a un sourire angélique.

Elle étouffe de colère. Il s'est détourné. Elle est contrainte de rebrousser chemin. Elle sort du métro en croyant avoir rêvé. Elle croise des piétons qui déambulent comme des automates. Leurs yeux sont fixes et vitreux, de faux yeux. Elle se résout à marcher jusque chez elle. Lorsqu'elle atteint le boulevard René-Lévesque, la foule se dissipe.

Épuisée, elle parvient enfin à son immeuble. Elle prend son courrier. D'abord, il y a une autre lettre de l'Association psychiatrique. Elle décide de ne pas l'ouvrir. Il y a en outre une carte postale : c'est la tour Eiffel. Elle lit : je t'aime. Ta maman. L'écriture pourrait bien être celle de sa mère. Elle sent une oppression dans la poitrine. Qui peut bien chercher à lui faire cette farce sinistre ? Elle déchire la carte postale en petits morceaux.

Elle convient que son existence devient des plus étranges.

Tant pis, elle verra un psychiatre. Oui, sa décision est prise. Elle prendra le taureau par les cornes : si on la déclare malade, elle se gavera de médicaments. Mais si on la met dans le camp des gens sains, elle sera libre d'agir comme bon lui semblera.

Mais que faire de ses photographies d'enfance ?

L'opinion de Zoé décidera de tout.

En tremblant, elle téléphone à l'hôpital. On l'informe que pour voir un psychiatre, il faut se présenter à l'urgence afin d'obtenir un formulaire de référence auprès d'un généraliste.

Elle décide d'y aller. De toute manière, ma vie ne tient qu'à un fil, pense-t-elle.

Elle se jette donc dans la gueule du loup. D'un pas décidé, elle entre dans l'édifice lugubre.

Elle attend trois longues heures, où elle ne fait que fixer le sol. Lorsqu'on l'appelle, elle se lève lentement et se déplace avec précaution.

Elle raconte au médecin de garde une histoire confuse. « Je fais une dépression », affirme-t-elle. L'homme au teint gris hoche la tête. Elle est étonnée de la facilité avec laquelle elle obtient un rendez-vous avec une psychiatre du nom de Geddes.

Puis elle s'enfuit, la main sur la poitrine.

Maintenant, c'est la nuit. Elle va se servir un verre du mauvais vin qu'elle boit debout face à la fenêtre, à côté du Grand Zorg. Elle revoit Sy qui attendait au coin de la rue, si beau. Plus que jamais, elle le désire. Et si elle se présentait à lui avec de l'argent, l'accepterait-il comme cliente ? Sans doute que non. Car Sy est une créature du vent. Il ne peut qu'être libre malgré tout.

Elle fait jouer *Wild Is The Wind* chanté par Nina Simone. Oui, elle croit elle-même s'envoler.

Elle jette un coup d'œil à son texte. Ce qu'elle a écrit n'est pas si mal. « Le découpage de Sarrasine est en soi une castration du texte. Barthes procède à la désacralisation de la littérature. »

Oui, elle suivra le conseil de la docteure Samson : elle inclura une analyse structuraliste de la nouvelle de M. Shelley. Pourquoi pas, en effet ? se convainc-t-elle.

Et elle se sert un autre verre de vin.

ZOÉ ET LES PHOTOGRAPHIES

ELLE APPELLE ZOÉ À MIDI. Zoé sera sans doute réveillée, même si elle a l'habitude de vivre la nuit. Marie-Christine lui a déjà demandé : « Pourquoi fais-tu cela ? Je veux dire ce travail d'escorte. » Zoé a eu un sourire sibyllin et elle a répondu : « Comme Nelly, je ne peux choisir entre une liberté extraordinaire et un asservissement brutal. Et avec ce travail, car c'est un travail, je m'inscris dans un paradoxe. De plus, comme tu le sais, je n'aime pas les hommes. Je suis heureuse lorsque je les berne. Si tu les voyais : ils veulent tant croire qu'ils sont de bons amants. Et je sais entretenir leurs illusions en riant sous cape. »

— Alors, c'est par haine que tu te vends ?

— Peut-être un tout petit peu. Mais c'est surtout pour l'argent. J'ai un penchant pour le luxe.

Et elle a souri, d'un sourire désarmant qui a pour effet d'effacer le malheur.

Zoé répond immédiatement. Sa voix est un peu éraillée : trop de cigarettes, trop de cocaïne sans doute. Marie-Christine établit une correspondance entre Sy et Zoé. Ils sont les deux faces d'une même pièce de monnaie. C'est ce qui fait qu'elle n'en aime que plus Zoé.

— Et si on se rencontrait pour un café ? J'ai un petit problème. Tu pourrais m'aider, dit Marie-Christine.

— Oui, j'ai besoin de routine. À 14 h, au bistrot habituel.

— Je veux avoir ton avis sur quelque chose.

— Au sujet de ton mémoire ? Tu sais que je crois que c'est un cul-de-sac. Écrire par-dessus Barthes est presque impossible.

— Non, c'est pour autre chose.

— Bon, on se voit tout à l'heure.

Elle pense prendre le métro, mais se ravise en se rappelant cet étrange épisode avec le préposé qui refusait de lui vendre un passage. Sans doute un artiste frustré, se dit-elle en secouant les bras afin de chasser un malaise. Ou un NaZ ? Elle prendra l'autobus : elle n'aura qu'à payer avec de la petite monnaie.

Des feuilles jonchent le sol. L'air sec la ravive. Quand la nature se dépouille, elle a un regain de vie.

Elle arrive au bistrot avec un peu de retard. Zoé boit une bière, vêtue de leggings noirs et d'une chemise échancrée. Sa peau est comme d'habitude recouverte d'un épais maquillage.

Marie-Christine commande une bière qu'elle se promet de ne pas boire. Elle s'avoue qu'elle craint encore le poison.

— Dis donc, tu as l'air pâle, dit Zoé.

— Ces derniers mois ont été éprouvants, confie Marie-Christine, qui parlerait bien du Grand Zorg, de la voix de S, de l'étrangeté de la vie, mais qui se ravise en voyant Zoé sourire.

— Tu voulais me parler de quelque chose ?

— Eh bien voilà, continue Marie-Christine en posant l'album de photographies sur la table. Dis-moi si tu crois que les enfants sont différents d'un cliché à l'autre.

Zoé, visiblement surprise, commence à feuilleter l'album d'un air scrutateur. Au bout d'un moment, elle déclare :

— Je ne sais pas. Tu sais, les nourrissons ont le visage un peu comme de la pâte à modeler. Ils se ressemblent tous à la fin.

— Mais là, les cheveux sont foncés et ailleurs ils sont blonds.

— C'est peut-être l'effet de l'éclairage.

— Regarde. Là, les yeux sont ronds et plus loin ils sont vaguement bridés.

— Les yeux sont presque fermés, c'est tout.

— Je te le dis : il y a plus d'un enfant. Mes parents m'ont sans doute adoptée.

— Peut-être qu'ils ont essayé d'adopter des enfants et que cela n'a pas fonctionné. J'ai connu une famille d'accueil : souvent, les enfants ne restaient que quelques semaines. Et tu es née. Typique. Ils ont ensuite abandonné leurs démarches d'adoption.

— Mais pourquoi ne m'en auraient-ils pas parlé ?

— Ils ne voulaient pas que tu te sentes menacée. À ta place, je n'y penserais plus.

— Et si mes parents avaient fait quelque chose d'illégal ?

— Fais comme moi : j'ai jeté mes photographies d'enfance. Mais tu pourrais en parler avec ton père.

— Mon père nierait tout. De plus, il me traiterait de détraquée.

Marie-Christine referme l'album avec l'impression de clore un long chapitre de son existence.

Zoé essaie de dissiper le malaise en changeant de sujet.

— Tu sais que Paul est à Paris pour un contrat de mode ? Il m'a parlé de toi. Il m'a dit que vous avez eu votre nuit. Il s'est demandé pourquoi vous n'avez pas recommencé.

— Trop beau pour moi. Et la beauté est nazie, commente Marie-Christine.

— Oui, il est vrai qu'il en abuse : les hommes, les femmes, personne ne lui résiste.

Marie-Christine aurait voulu profaner Paul. Le pincer, le mordre. Elle a sans doute été trop décente.

— Paul m'a aidée à oublier Marc. Je dois l'en remercier.

— Toi et tes hommes ! Tu devrais aller du côté des femmes. Tu verrais : toute cette douceur est un délice.

Marie-Christine ne peut s'empêcher de sourire. Oui, voilà bien Zoé, qui cherche à la convertir. Fatale Zoé !

— Bon, j'y vais. Je te remercie de m'avoir aidée. Mais il faut que je travaille. Barthes m'attend. Le structuralisme est un terrain si glissant !

Zoé rit et elle fait le geste d'effacer une tache imaginaire.

— À plus, dit-elle en baissant la tête.

À ce moment précis, Marie-Christine lui trouve une ressemblance avec Sy, car ils ont tous deux la désinvolture des gens abîmés.

Elle marche avec lenteur. Elle hésite un moment, puis s'approche d'une poubelle. Zoé a sans doute raison : l'enfance doit être sacrifiée. Au fond, être enfant, c'est découvrir que l'amour est un calvaire. Elle jette l'album. De toute manière, elle se souviendra de ces photographies. Elle ressent une liberté désagréable : elle vient de renier ses origines. Elle regarde autour d'elle : on passe avec indifférence.

FIN DE LA NOUVELLE DE M. SHELLEY

SOPHIE COURT DONC, pourchassée par Franken. Elle a bien vu la photographie de son visage collée à un corps qui n'était pas le sien, un corps filiforme et allongé. Franken cherche sans doute à créer une nouvelle Ève qu'il chassera du paradis. Elle se retourne : la lame que tient Franken est couverte de sang.

Elle parcourt un couloir et se réfugie dans un ascenseur. Dans sa panique, elle appuie sur tous les boutons. La porte se ferme au moment où Franken paraît, encore plus échevelé que d'habitude, son visage déformé par un rictus.

Elle se demande quoi faire. L'ascenseur descend. Sans doute ne va-t-elle nulle part. Puis la porte s'ouvre : elle constate qu'elle est coincée entre deux étages. Elle entend Franken hurler : « Je t'aurai, coquine ! »

Elle est donc prisonnière d'une boîte. Et, à l'extérieur, un photographe dément cherche à lui voler son âme, pire, à la découper en morceaux.

AUTRE RÉUNION DES ILLUMINAIRES

ILS Y SONT TOUS. Blue, comme d'habitude, se tient à l'avant comme un prêtre devant ses fidèles. Marie-Christine s'est assise à côté de Finn, qui caresse distraitement Confucius. Elle n'ose pas regarder Sy, craignant un coup d'amour qui l'achèverait.

— Bonjour à tous. Dieu vous a-t-il parlé ces derniers jours ?

Prométhée, vêtu de son complet, se lève.

— Oui, dit-il. Il m'a ordonné de vivre dans la pureté. Je suis donc des règles d'hygiène strictes. Je ne vis plus que d'eau et de yaourt. Et je navigue sur Internet. L'ordinateur est une chose propre.

— Bravo ! Nous devrions tous suivre ton exemple, claironne Blue.

— Dieu m'a promis l'éternité, lance Sy, qui s'est levé. Oui, et la cocaïne rend éternel, je vous le dis ! Quand je me fais une ligne, Dieu me dit : « Tu t'éveilles aux idées. » C'est le soir que je le vois, dans l'obscurité.

— Moi, j'ai commencé à voir mon Grand Zorg dans les lieux publics, ne peut s'empêcher de dire Marie-Christine. Il parle peu. Comme vous le savez, il m'a avertie d'un danger : le NaZisme avec un grand z.

Prométhée hoche la tête.

— Il ne faut surtout pas aller à l'hôpital.

— Moi, je suis allé à l'hôpital, révèle Finn avec calme.

On lance des « oh » angoissés.

Et Finn raconte qu'il a fait la folie de manger dans un restaurant. Il s'est évanoui à la fin du repas. Il a été emporté par une ambulance. On l'a gardé plusieurs heures en salle de traitement et on lui a fait des piqûres. Il a réussi à demeurer imperturbable. Puis on lui a donné son congé en affirmant qu'il avait eu une chute de tension.

— C'était du poison, j'en suis sûr, conclut Finn.

— Tu aurais dû te sauver en jaquette. Qui sait quel genre de saloperie on t'a injecté ? dit Blue.

Finn a une expression impénétrable sur le visage.

— Mais j'ai vu une sorte d'oiseau au-dessus de la tête de l'infirmière, explique-t-il. Je suis certain que c'était un ange venu me libérer.

— Tu as eu de la chance, conclut Blue, qui gesticule en faisant cliqueter ses bracelets.

Marie-Christine se racle la gorge et prend la parole. Elle parle des photographies et avoue les avoir jetées.

— Mais tu aurais dû nous les montrer, dit Blue.

— Au fond, je me sens plus sereine ainsi. Jamais je n'oserais demander à mon père si j'ai été adoptée.

— Oui, la traite des enfants, c'est quelque chose de terrible, dit Prométhée.

— Mes origines demeureront pour moi un mystère, ajoute Marie-Christine, qui décide de ne pas parler de sa résolution de voir un psychiatre, certaine qu'on pousserait les hauts cris.

La réunion prend fin sur une note plus gaie : Finn parle longuement de la beauté de son bouddha qu'il voit la nuit et M. Shelley affirme que des entités énergétiques pénètrent en elle afin de lui donner de l'inspiration.

On se lève.

— N'oubliez pas que La Croissanterie est un lieu sûr, déclare Blue.

Marie-Christine ne peut s'empêcher de se tourner vers Sy. Oui, il ressemble à un aristocrate, ses longues mains ont quelque chose de décadent et son profil est trop droit. Elle sent son cœur battre à tout rompre. Heureusement, M. Shelley s'approche d'elle, ce qui crée une diversion.

— Alors, tu as lu ma nouvelle ?

— Oui, je l'ai aimée. Mais la fin est un peu étrange.

— En écrivant, je me suis retrouvée dans un cul-de-sac. Et je ne sais pas quoi inventer d'autre. Soit Sophie demeure dans l'ascenseur bloqué, soit elle sort pour être assassinée par Franken.

— Assassinée ?

— Oui, c'est en effet violent, mais la vie est souvent ainsi.

— Je vais faire une analyse de ton texte dans mon mémoire.

— Ah ! Je serai donc un écrivain officiel. Je sais une chose : mon style épuré ne plaît pas aux éditeurs. Je n'ai eu que des refus.

— Tu ne tombes pas dans le piège de l'ornement. Barthes parle du « vomissement du stéréotype ». Tu évites avec grâce la verbosité. Mais il est vrai que les éditeurs québécois sont encore impressionnés par une écriture précieuse.

— Merci. Tu me feras lire ton analyse ?

— Bien sûr.

— De toute manière, nous nous verrons au café. Car l'union fait la force !

— Oui, je viendrai, promet-elle en sachant bien qu'elle ne pourra pas résister à la tentation de voir Sy, tout simplement le voir, sans plus : il est en soi une vision.

Elle salue les Illuminaires et elle marche lentement. Elle ne sait pas si elle a envie de retrouver ses notes et son ordinateur. Son entreprise est-elle vaine ? En effet, qui s'intéresse à *S/Z* aujourd'hui, hormis quelques littérateurs ?

Pourtant, se dit-elle. Pourtant, la confusion sexuelle est un thème si actuel.

LA PSYCHIATRE

ELLE MET DES VIEUX VÊTEMENTS, comme pour exprimer la contrition. Elle ne se maquille pas. Elle aura la pâleur des chlorotiques. Elle va tout faire pour qu'on la déclare malade. Coup de dé, songe-t-elle. Si elle traverse l'expérience avec brio, elle pourra confirmer à l'Association psychiatrique qu'elle est normale. On fera d'elle une femme comme une autre.

— Le tout pour le tout, murmure-t-elle en sortant de chez elle.

La clinique n'est qu'à une dizaine minutes de marche. Elle fait le trajet avec décision. Elle trouve l'adresse : la clinique est dans un immeuble vétuste qui ne lui inspire rien de bon.

— Danger, danger, susurre la voix de S.

Elle ignore l'avertissement et s'installe dans une salle d'attente déprimante aux murs jaunes éclairée par des néons qui clignotent. Une femme installée à la réception l'interpelle.

— Je suis Marie-Christine Arbour. J'ai rendez-vous avec la docteure Geddes, dit-elle d'une voix volontairement faible.

La femme, qui a un visage de hibou, ferme les yeux un long moment, comme si elle dormait.

Marie-Christine s'assied et feuillette des revues féminines. Elle hait toutes ces femmes qui ont un sourire optimiste. Elle lit un article sur la séduction. On prétend que le bon parfum attisera les sens d'un homme. Elle pourrait s'asperger de Chanel n° 5. Peut-être que Sy viendrait alors vers elle. Peut-être, au contraire, qu'il aurait la nausée. Elle craint de sombrer dans le ridicule.

— Marie-Christine, lance une voix trop forte.

Une petite femme ronde avec des cheveux gris courts se tient devant elle.

— C'est moi, dit-elle sur le ton de la confession.

— Suivez-moi.

La petite femme l'entraîne dans un couloir. La porte se referme derrière elles avec fracas. Marie-Christine sait qu'elle ne peut rebrousser chemin.

Elle s'assied sur un fauteuil qui grince sous son poids.

— Je vais prendre quelques informations. Je suis l'infirmière. Je m'appelle Sheila Fineblitz.

Elle parle avec un fort accent, faisant ça et là des fautes de grammaire qui distraient Marie-Christine. Elle pose quelques questions d'usage, dont : « Seriez-vous enceinte ? » Marie-Christine répond que ce n'est pas possible. Fineblitz a un air dubitatif. Ouvrir les jambes est-il un péché ?

— Non, les enfants, pas pour moi, reprend Marie-Christine. Est-ce là un symptôme d'immaturité ?

— Dans la vie, on fait ses choix, répond l'infirmière. La docteure Geddes va vous recevoir. Je vais assister à l'entretien. Mon rôle est de protéger la psychiatre. Encore le mois dernier, un patient est devenu violent. Êtes-vous violente ?

— Non, pas du tout.

Le bureau de la psychiatre est tout jaune. Sur le mur, il y a une reproduction d'un tableau de Van Gogh. Elle s'installe dans un fauteuil plus confortable, cette fois. Une femme encore jeune entre : elle a les cheveux courts d'un brun cendré, aucun maquillage et elle est vêtue d'une sorte de complet. Ses yeux bleus mettent Marie-Christine mal à l'aise.

— Bonjour. Que puis-je faire pour vous ? commence la psychiatre.

Et Marie-Christine se lance dans un discours biscornu : elle voit le Grand Zorg et elle entend la voix de S, et on a cherché à la droguer, car elle a des ennemis, de plus elle a jeté son album de photographies, on lui a menti, mais la société ment, à l'hôpital on extermine les Juifs et *S/Z* est une entreprise christique, elle a d'ailleurs le Christ dans son nom et peut-être mourra-t-elle sur la croix.

Elle s'arrête de parler, essoufflée. La docteure Geddes a toujours un visage impassible. Un silence suit.

— Vous me semblez surtout exténuée, dit enfin la psychiatre. Je vais seulement vous donner de légers tranquillisants pour vous aider à dormir. Vous pensez trop, c'est tout.

Elle rédige une ordonnance qu'elle tend à Marie-Christine d'un geste impatient.

— Je vous fixe un rendez-vous dans une semaine, même heure.

Marie-Christine quitte la clinique avec précipitation. Elle a le sentiment d'avoir parlé à un mur. Elle se rend à la pharmacie. Un homme pauvrement vêtu est assis dans l'aire d'attente. Elle doit faire un effort pour ne pas partir en courant. Elle tend l'ordonnance à un homme vêtu d'une blouse blanche. Puis elle attend en faisant les cent pas comme un animal en cage.

On l'appelle enfin.

— Voilà vos comprimés, dit l'homme. Mais, attention ! ce ne sont pas des bonbons.

Elle s'empare du sac en silence et se précipite vers la sortie. Un bruit la fait sursauter, une sorte de claquement sec. Elle se retourne et voit une femme qui lui sourit. Elle se détourne. Elle croit être sur le point de recevoir un coup. Mais rien ne se passe.

Dans la rue, elle marche à grands pas. Il fait déjà noir. Elle parvient à son immeuble et elle se barricade dans son appartement. Elle pense à son entretien avec la psychiatre. Elle ne l'a sans doute pas crue. Pourtant, elle voit bien le Grand Zorg. Elle avale un comprimé en lisant l'étiquette : Ativan, qui semble être une compression entre « attique » et « vent ». Puis elle se sert du vin.

Elle décide d'appeler son père. Mais est-ce son père ? À cette heure, il doit se reposer après une journée passée près de l'océan. Elle laisse sonner. Le répondeur se met en marche. Elle ne peut que dire : « Je suis l'enfant de rien, je suis Alice au pays des merveilles et j'attends de rencontrer le lapin. Le royaume des cieux m'attend. »

Elle raccroche en tremblant.

Elle retourne à la fenêtre et remarque quelque chose de nouveau : à la fenêtre de l'appartement d'en face, il y a un pantin en bois dont les membres ont été ficelés à l'aide de fil barbelé. Est-ce un message ? Qui se plaît à évoquer ainsi la torture ?

Elle ressent un léger affaissement. C'est sans doute l'effet du médicament. Elle décide de travailler dans cet état.

ANALYSE DE LA NOUVELLE DE M. SHELLEY : LA COUPURE

ELLE ÉCRIT : « Le corps n'a ici pas d'intégrité. Pas plus que le nom du photographe. Franken fait évidemment référence au Frankenstein mythologique, un docteur fou qui crée un monstre. Mais notons que le "stein" a été coupé. Stein, c'est aussi un nom juif. Pensons à Gertrude Stein. L'ablation du stein révèle-t-il un désir d'élimination ?

« Franken, dont le nom est mutilé, mutile ses modèles à son tour. Il décide de décomposer Sophie. Sophie, c'est évidemment sophia, sagesse. Avec abnégation, elle accepte d'être photographiée. Poser constitue un travail : un travail sale, qui tient plus de l'usine que de la prostitution. En effet, à l'usine, on assemble des choses. Franken récrée le corps et Sophie réussit à renaître psychologiquement de ses cendres. Mais elle se prête à ce jeu de destruction. Se donne-t-elle à l'appareil photo pour la gloire ou pour l'argent ? Ou est-elle une sorte de sainte qui accepte de se sacrifier ?

« Une chose demeure : Franken abolit l'unité.

« D'ailleurs, la nouvelle n'a pas de titre, ou plutôt, le titre a été coupé : le lecteur a l'impression que le texte n'a pas d'origine, qu'il s'inscrit dans le mythe.

« Rappelons que notre modèle d'analyse sera l'essai *S/Z* de Barthes. Dans cet essai, Barthes découpe la nouvelle de Balzac *Sarrasine* en lexies qui comprennent une ou plusieurs phrases. Les lexies sont des unités de sens.

« Nous ne pourrons cependant pas aller aussi loin que Barthes dans l'interprétation des lexies. En effet, dans *S/Z*, Barthes va au-delà du structuralisme : tantôt il compare le texte à une partition musicale, tantôt il propose des schémas et son approche multidisciplinaire englobe tant la sémiologie que la philosophie. Barthes décortique le texte classique, qui est figé dans sa forme.

« Nous saurons néanmoins nous inspirer de Barthes. Nous analyserons un texte plus moderne, une nouvelle de M. Shelley, un auteur inconnu. Ce texte à la prose claire est plus suggestif que descriptif. Mais il se prête bien à l'analyse. Nous considérerons chaque lexie à la lumière de codes différents, comme le fait Barthes pour *Sarrasine*. Il y aura HER, qui désigne le code herméneutique, c'est-à-dire les énigmes posées par le texte. SEM s'occupe du signifié auquel renvoie la lexie. ACT, ce sont les actions importantes. REF englobe les références culturelles. Et nous proposerons PSY, pour psychanalyse, un code qui n'est pas dans *S/Z*. Mais ce code s'impose dans la compréhension d'un texte plus contemporain.

« Notre tentative d'analyse demeurera modeste. Personne ne peut surpasser Barthes dans ce domaine.

[...] Sophie ne savait pas si elle aimait ce travail. Pourtant elle posait avec piété.

REF : le devoir d'une femme
REF : la sainteté

[...] Elle offrait son visage à l'objectif de l'appareil photo. Elle se doutait qu'elle aurait la tête coupée.
REF : Abnégation de la sainte
SEM : la coupure

[...] Le photographe s'appelait Franken et il avait l'habitude de trafiquer les photographies. Dans son laboratoire, il posait les jambes de l'une sur le bassin de l'autre, il arrachait les bras, il coupait les cous. Il avait pour ambition de créer la femme parfaite.
REF : le génie destructeur
SEM : la coupure
REF : Pygmalion

[...] Franken avait en outre une collection de couteaux.
REF : l'artiste
SEM : encore la coupure
PSY : le couteau, symbole phallique

[...] Sophie les a vus et elle a compris que Franken aimait trancher les jeunes femmes photographiées.
HER : Que va-t-il arriver à Sophie ?

« Avec ses couteaux, substituts phalliques, Franken accomplit des meurtres symboliques. Quant à Sophie, on ne sait rien de son apparence physique, mais comme elle est modèle, on suppose qu'elle est grande et mince. On ne peut toutefois deviner son appartenance ethnique. Ce qu'on comprend, c'est qu'elle est jeune et inexpérimentée. Elle semble même asexuée. Asexuée comme un castrat ? »

À supprimer : « Franken est-il un NaZ ? »

POGROM

C'EST TÔT LE MATIN qu'elle a entendu un claquement assourdissant. Elle espérait faire la grasse matinée, vaguement assommée par les médicaments. Elle s'est levée et est allée à la fenêtre. Elle a vu trois enfants au visage haineux qui étaient dans la rue et elle a été étonnée par la clarté de leurs yeux. Ils prenaient des cailloux et, en faisant des moulinets avec le bras, les lançaient sur l'immeuble.

Maintenant, après avoir tiré les rideaux, elle goûte à l'obscurité. Elle n'a pas le courage d'affronter les enfants. En réalité, elle a peur d'eux, et s'ils sont le reflet de leurs parents, alors il existe des adultes pleins de violence.

Ils semblent s'être lassés de ce jeu, mais elle n'ouvre pas les rideaux. Elle se sert du vin et met de la musique, du Beethoven, la *Symphonie n° 9*. Elle est émerveillée par l'accord entre les cordes et les cuivres.

Au moment où elle réussit à se détendre, des coups se font entendre. Il est vrai que la musique est un peu forte. Elle baisse le son. Les coups continuent. Le fauteur de trouble est sans doute ce voisin à qui il manque des dents. Il porte toujours un veston en cuir, même l'été, il a les yeux fuyants et il pue la marie-jeanne. Ce n'est que lorsqu'elle règle le son au minimum que le calme revient.

Tout ce qui la rassure est la présence du Grand Zorg. Elle tend l'oreille pour entendre la musique. À ce moment, le téléphone sonne. Elle hésite un moment et répond. C'est son père.

— Tu m'as laissé un message bien bizarre. Qu'est-ce que c'est, cette histoire d'Alice au pays des merveilles ? dit-il d'emblée.

— C'est que ma vie est un peu étrange, papa.

— Es-tu en train de devenir folle comme l'oncle Gaston ?

— Je vois une psychiatre.

— C'est ce que j'allais te conseiller. Cette obsession pour la littérature n'a rien de bon. Et qu'a dit la psychiatre ?

— Que je travaille trop, mais que je suis normale.

— Tu sais, l'oncle Gaston a été interné de force par la famille. Tu ne veux pas partager ce destin, j'en suis sûr.

Elle respire avec difficulté. Elle ne peut que dire :

— La vie est quelquefois comme un conte de Grimm, papa.

Il a déjà raccroché.

Peut-être qu'il n'est pas mon véritable père, se répète-t-elle.

Elle s'assied et écoute la musique. Ce faisant, elle boit le reste de son vin. Elle pense à Baudelaire qui fuyait ses usuriers. Et elle, que fuit-elle en vérité ?

Elle pourrait téléphoner à Zoé et lui raconter que des enfants ont lancé des pierres sur les fenêtres de son immeuble. Zoé dédramatiserait sans doute la situation. Mais Zoé c'est le Z : elle ne peut que tout neutraliser. « Le sexe est au fond d'un ennui mortel », a-t-elle déjà dit.

Marie-Christine se promet de retourner demain à La Croissanterie. Si elle raconte ses mésaventures à Blue, elle l'écoutera peut-être avec compassion.

C'est alors qu'elle entend une détonation. Elle sursaute et regarde autour d'elle.

— Pogrom, pogrom ! dit la voix de S.

Elle se lève et demeure longtemps debout les bras ballants. Qu'est-ce que ce message ? Elle tire très légèrement les rideaux : les enfants ont disparu. Est-ce cela ? Est-ce le début de la guerre ? Elle s'imagine embrassant Sy dans une ville détruite.

Elle avale un autre tranquillisant et observe la rue : elle a la certitude d'être chassée du monde.

LA LETTRE DE PROMÉTHÉE

ELLE SE REND À LA CROISSANTERIE par cette journée grise. Elle redouble de vigilance lorsqu'elle parvient à la rue Sainte-Catherine, s'éloignant des passants qu'elle croise et qui ont tous l'air louches. Par la vitrine, elle voit Sy qui prépare un café. Elle passerait volontiers la main sur cette peau de satin. Elle lui ferait une déclaration : S, Sy, nom qui sur ma langue s'élide, tu es beau et avec toi je m'envolerais. Mais elle ne fait que rougir en entrant dans le café. Elle perd ses moyens, mais elle réussit à le saluer. Elle voit à une table Blue et Prométhée qui discutent avec animation. Elle s'approche d'eux.

— Bonjour, Marie-Christine. Justement, nous avons besoin de ton opinion. Prométhée a reçu une drôle de lettre.

Prométhée tend devant lui une feuille de papier un peu froissée. Il y a le dessin d'un soleil noir au bas de la page. D'un geste nerveux, il met des lunettes.

— Je vais la lire à voix haute, déclare-t-il. Voilà. Cela va ainsi : « Cette lettre fait partie d'une chaîne qui, si elle est brisée, vous apportera le malheur. Vous devez la photocopier et l'envoyer à six personnes. Vous avez deux jours pour le faire. Si vous obéissez à cet ordre, votre vie sera sauve. »

Prométhée replie la lettre, puis il lisse les pans de son veston.

— Étrange... Mais j'ai déjà entendu parler de telles lettres, dit Marie-Christine.

— Oui, ils m'ont trouvé. Ils doivent savoir que je vois Zeus. C'est peut-être l'initiative des NaZ dont tu as parlé.

— Moi, je crois que Prométhée devrait déchirer la lettre et tout oublier, profère Blue, catégorique.

À ce moment, Sy dépose un cappuccino devant Marie-Christine en lui faisant un clin d'œil. Brin d'amour, cœur crevé, se dit-elle, incapable de dire merci. Elle se sent soulevée.

— Moi aussi je crois qu'il devrait la jeter, lance Sy.

Marie-Christine se retourne : la jeune femme aux cheveux noirs vient de faire son entrée et elle va embrasser Sy. Elle la grifferait. Elle la détaille : longue, visage régulier quoique très dur, lèvres brunies par du rouge à lèvres, une certaine vulgarité dans l'allure générale, des vêtements qui ont sans doute coûté cher et des ongles peints en noir.

— Voici Sylvie, ma copine. Elle sait pour nous. Vous pouvez parler devant elle. Elle a une spiritualité bien développée.

Tu m'en diras tant ! pense Marie-Christine. Sylvie a l'air d'une pute.

— Bonjour, dit Sylvie, en arborant un sourire commercial.

Prométhée a le front couvert d'une fine sueur et il joue avec son briquet.

— Je crois que je devrais leur obéir. Ils sont sans doute trop forts.

Marie-Christine réussit à parler même si elle a l'impression de s'étrangler.

— Hier, j'ai entendu une voix qui a dit « Pogrom ». Peut-être sommes-nous en guerre. La lettre n'est qu'une forme d'intimidation.

Blue s'empare de la lettre et la déchire avant que Prométhée puisse protester.

— Voilà qui est mieux. Il ne faut pas leur donner satisfaction.

Eux : les NaZ, se dit Marie-Christine. Lieu de transit : l'hôpital, qui est en quelque sorte un utérus. Naître et mourir : ici, on naît à la mort.

— Nous allons annuler nos réunions du jeudi. Trop dangereux. Ils peuvent savoir. Désormais, nous nous rencontrerons ici, déclare Blue en brassant ses cartes de tarot. En passant, ce matin une femme très élégante m'a offert cent dollars pour que je lui tire les cartes. Je lui ai parlé des Illuminaires. Elle semblait intéressée. J'espère que notre mouvement prendra de l'ampleur.

— Il faudrait avertir Finn et M. Shelley que la réunion est annulée. Mais ils n'ont pas le téléphone, dit Prométhée.

— Il ne faut pas avoir de téléphone, dit Sy en passant un coup de chiffon sur la table. Car le téléphone est un engin de surveillance.

Marie-Christine sursaute lorsque Sy lui effleure le bras. Elle lève la tête. Sylvie est debout, les mains sur les hanches, avec un air de propriétaire. Sy doit être habitué à ce qu'on le désire. Des femmes se sont battues pour lui, elle en est certaine.

— Moi, j'ai encore le téléphone, réussit-elle à dire.

— Il faudra le débrancher, profère Blue, qui examine une carte avec attention. Tiens, le Monde ! Voilà ce qui caractérise bien les Illuminaires. Nous réussirons à dominer nos ennemis. Il s'agit de se tenir entre nous.

— Oui, c'est simple : nous nous insurgerons contre la norme. Et la norme a un lien avec le pouvoir de l'image, lance Prométhée.

Et, songe Marie-Christine, Sy a tout d'une image mouvante. Il est une sorte de Zambinella pourvue d'un sexe et le voir, c'est courir à sa perte.

Elle se lève et annonce qu'elle doit s'en aller.

— Viens ici plus souvent. Avec nous, tu es protégée. N'oublie pas de prier ton Grand Zorg, dit Blue.

Marie-Christine a toujours considéré la prière comme quelque chose de ridicule. Ces nuques ployées, ces lèvres remuant faiblement, ces yeux clos : voilà qui est bien morbide. Elle n'a pas l'intention de s'y mettre.

Une fois dans la rue, elle a la conviction qu'on la suit. Elle marche rapidement. Puis, elle croit voir un éclat jaune sur le manteau d'un homme. Une étoile, croit-elle. C'est ça, c'est le pogrom ! Mais le monde n'est-il qu'une invention sanctionnée par une majorité ? Ou n'est-il qu'une création intellectuelle ?

Elle penche la tête comme si elle parait un coup et elle se promet de ne plus retourner à l'hôpital.

LA PSYCHIATRE : PRISE DEUX

ELLE RESTE DEBOUT DANS LA SALLE D'ATTENTE. Le confort engourdirait sa vigilance. Elle regarde un babillard où sont épinglés des dépliants : « Combattez la dépression », « L'agoraphobie se guérit », « Comment vivre avec la maladie mentale », « Les troubles bipolaires se maîtrisent », et ainsi de suite. Mais un petit papier rose attire son attention : il s'agit d'un plaidoyer pour l'homosexualité. On y parle du droit à la différence et de l'amour qui n'a pas de frontières. Étrange, cela a-t-il sa place dans une clinique de psychiatrie ? Au même moment, Sheila Fineblitz apparaît avec un dossier à la main.

— Marie-Christine, veuillez me suivre, dit-elle en faisant un petit geste de la main qui semble signifier « je vous absous ».

Elle constate à quel point Sheila Fineblitz a une allure masculine. Elle s'assied et il lui semble que le regard de l'infirmière erre sur son décolleté. Elle pose instinctivement la main sur sa gorge. Après un long moment de silence, Fineblitz relève les yeux.

— Avez-vous pris les médicaments ?

— Ils m'ont fait dormir.

— Oui, c'est du bonbon. Le risque de dépendance est élevé.

Et si on fusionnait Franken et Fineblitz, aurait-on une créature abjecte ? se demande-t-elle.

Fineblitz note quelque chose dans le dossier. Marie-Christine craint qu'elle ait écrit « folie naissante ».

Enfin entre la docteure Geddes, qui a une démarche militaire. Elle est toujours vêtue de ce complet conçu pour les femmes. Son visage sans maquillage est tendu. Marie-Christine, elle, s'est fardée afin de se déguiser. Elle compte bien cacher sa nature première.

— Bon. Si je me souviens bien, vous croyez voir des choses. Moi je suis persuadée que vous inventez tout cela par ennui, afin de vous rendre intéressante. Les petits tranquillisants vous ont-ils aidée à accepter la réalité ?

— Quelle réalité ?

— Que vous êtes fondamentalement normale.

— Mais ces visions sont bien réelles.

— Tut, tut, dit la psychiatre en posant la main très haut sur sa cuisse, presque sur son sexe.

Marie-Christine balbutie.

— Je vous assure, je n'invente rien.

— Moi je crois que si.

— Je crois avoir en quelque sorte traversé le miroir. Et le monde s'est renversé.

— N'allez pas me dire que vous avez rencontré un lapin qui parle.

— Ça, non. Mais j'entends des voix.

— Bla bla bla. Vous cherchez peut-être à obtenir une pension d'invalidité.

— Non, je vous assure.

— Voilà ce que nous allons faire. Je vais renouveler votre ordonnance. Tâchez de bien dormir et nous nous reverrons la semaine prochaine. Et cette fois, je vous le garantis, vous irez mieux.

La docteure Geddes croise les jambes. Ses cheveux coupés en petit page ont une lueur étrange. On dirait qu'elle comprime son buste afin d'araser sa silhouette. De plus, elle dégage une forte odeur de parfum. Marie-Christine a un haut-le-cœur. Elle surprend le regard de Fineblitz posé sur son entrejambe.

Elle se lève et sourit mécaniquement. Donc on ne veut pas faire d'elle une folle. Elle est à la fois soulagée et inquiète. Elle se détourne. Regarde-t-on son postérieur ? Elle a sans doute des fesses trop saillantes. Elle s'en va en pressant le pas.

Dès qu'elle en a l'occasion, elle jette l'ordonnance dans une poubelle publique. Mais elle a une surprise : sur le trottoir se tient le Grand Zorg, vêtu de cet habit de moine et tenant son bâton pour marcher. Il commence à avancer et elle le suit. Ils se dirigent vers une zone éclairée par un spot violent. Elle comprend qu'il s'agit du tournage d'un film. Le Grand Zorg a disparu. Elle rejoint la petite foule de curieux qui observent la scène. Les acteurs ne sont pas connus. Il s'agit vraisemblablement d'une poursuite. Une femme est pourchassée par un homme qui tient un revolver. Des coups de feu retentissent et la femme s'écroule. Un homme tenant un haut-parleur crie : « Coupez ! » Lentement, la femme se relève, comme si elle ressuscitait. Marie-Christine sursaute quand elle entend la voix de S dire : « Le NaZ aime le spectacle. Il aime brouiller la frontière entre la réalité et la fiction. » Conséquemment, je ne suis qu'une actrice, pense Marie-Christine, et je ne cesse de faire des révérences. Le monde n'est-il qu'un vaste plateau de tournage ?

Elle s'éloigne rapidement. Les foules sont dangereuses. Une menace plane sur elle. Elle pense à retourner à La Croissanterie, mais elle se ravise, car il fait nuit noire maintenant. D'un pas irrégulier, comme si elle était blessée, elle retourne à son appartement.

Elle réussit à gravir les escaliers et elle ferme précipitamment la porte. Elle laisse les rideaux tirés. Elle marche un moment en rond. Le plancher grince. C'est alors qu'elle entend des coups sous ses pieds. Elle s'immobilise et attend un moment. Mais lorsqu'elle se déplace à nouveau, les coups reprennent. Cet autre voisin s'acharne sans doute à frapper le plafond avec un manche à balai. Elle l'a quelquefois croisé et lui a trouvé un air de repris de justice.

Elle s'assied sur son futon. Elle comprend qu'il faudra bouger le moins possible. Elle écoute tout bas *Wild Is The Wind*. Et elle pense à Sy, qui semble aussi véloce que le vent.

SUITE DE L'ANALYSE DE LA NOUVELLE DE M. SHELLEY : L'ÉPUREMENT OU LA PLÉTHORE

ELLE ÉCRIT : « Barthes dit du style de Balzac : "Un mélange écœurant d'opinions courantes, une nappe étouffante d'idées reçues", ce qui fonde le texte classique. Combien d'écrivains ne sont pas tentés par la pléthore ? Mais la verbosité est difficile à maîtriser. Le remède contre la verbosité est l'épurement. Nous pensons ici, entre autres, à César avec son style incisif. Phrases courtes, vocabulaire concis, simplicité trompeuse : voici la voie de l'avenir. Et M. Shelley réussit un tour de force en écrivant au lieu de décrire. Elle porte au texte un coup de glaive net et précis.

« Franken, avec ce K qui coupe son nom, morcelle donc des photographies de jeunes femmes. Sophie, dont le S initial évoque une caresse, accepte avec humilité de se prêter à ce jeu de destruction. Contrairement à Balzac qui décrit à outrance ses personnages, M. Shelley laisse au lecteur le loisir d'imaginer Sophie et Franken. On les identifie par leurs fonctions : le photographe et le modèle, couple mythique. On ne sait pas si Sophie est belle : M. Shelley évite le piège du cliché, ce qui spiritualise Sophie, qui est en quelque sorte absente physiquement.

« Sy n'est-il pas une sorte de Sophie ? Se sacrifie-t-il ? La cocaïne est un expédient dont l'effet dure peu. Se vend-il afin de souffrir avec volupté ? Éliminer ce paragraphe.

« Mais Franken veut créer la femme parfaite, ce qui nous fait comprendre que Sophie est a priori imparfaite. Elle ne fait que contribuer à l'entreprise de déformation de Franken.

« Revenons au texte de M. Shelley : son économie, sa simplicité fallacieuse, son vocabulaire concis mènent le lecteur sur le terrain de la suggestion. Le travail de l'écrivain, c'est la construction d'une histoire avec des mots choisis. L'écrivain élague le texte tout comme Franken découpe les corps. Résultat : l'épurement qui donne de l'ampleur au texte malgré son dépouillement. C'est le style de l'Histoire. Et l'écrivain est peut-être, comme Franken, une sorte de monstre.

[...] Autre lubie de Franken : il ne tolérait pas qu'on ferme la bouche.

« Ouvre, ouvre », ne cessait-il de dire.

Sophie obéissait même si elle savait que par la bouche on a accès aux viscères [...]

SEM : le trou, le corps troué

REF : féminité grotesque

PSY : Franken cherche non seulement à infantiliser Sophie, mais il établit une symétrie entre le trou de la bouche ouverte et le trou du sexe féminin. Résultat : un air stupide. Même Mona Lisa a la bouche fermée.

[...] Un jour, Franken lui a ordonné d'enlever sa petite culotte. Elle s'est exécutée, convaincue qu'elle gagnerait plus d'argent. Franken n'a photographié que son visage. Pendant qu'elle se reculottait, elle sentait le regard de Franken posé sur son ventre. Elle a caché son nombril d'une main. « Je n'ai plus de mère », a-t-elle dit.

« La nature ignoble de l'humain le contraint à pisser et à chier », a proféré Franken.

SEM : le nombril, faux trou

REF : nudité de la femme, un des poncifs de l'Art

REF : le grotesque de la physiologie humaine

PSY : l'absence de mère est la condition préalable de ce strip-tease

HER : jusqu'où ira Sophie pour être modèle ? Sophie fait-elle tout cela pour de l'argent ? Sy se vend-il afin de s'acheter de l'extase ? Éliminer le commentaire sur Sy.

ACT : se déshabiller

[...] Elle n'avait que quinze ans et déjà on lui confirmait qu'elle était un monstre.

Ici, la beauté se renverse. Sophie, sur le plan psychologique, succombe à la violence de Franken. Un saint est-il quelqu'un qui accepte d'être morcelé ? La beauté se définit mal, pourtant le saint rayonne...

SEM : acte destructeur

REF : jeunesse

REF : tératologie

PSY : il n'y a peut-être pas de différence entre la beauté (qu'on adule) et la monstruosité (qu'on craint). La norme relève d'un exercice de composition. Et on comprend que Sophie n'est pas tout à fait normale. Aussi faut-il la recréer.

« Je hais quelquefois ma personne. Je suis comme on dit ordinaire. On me voit à peine. Je suis pourtant acculée à ma mortalité. Oui, je me meurs dans l'invisibilité. » Éliminer ce commentaire personnel.

À LA RECHERCHE DE NARCISSE

ELLE SE REGARDE DANS LA GLACE. Se voit-elle vraiment ? Il y a toujours les petits personnages sur le côté du miroir. Elle a cette impression d'être scrutée. Est-elle vaniteuse ? Après tout on fait de la vanité un péché. S'embellit-elle lorsqu'elle s'anime ? Ou, au contraire, la vie la défigure-t-elle ? Son visage est une énigme.

Elle décide qu'il est temps de se transformer : couper ses cheveux, accentuer ses lèvres, souligner ses yeux. Et Zoé est certes celle qui pourrait la conseiller, elle qui abuse impunément de l'artifice.

Elle a toujours le téléphone. Tant pis si on m'espionne, se dit-elle.

Zoé répond presque immédiatement.

— Oui.

— C'est moi.

— Ah, je me demandais ce que tu devenais. *S/Z* t'obsède-t-il toujours autant ?

Marie-Christine jette un coup d'œil au Grand Zorg.

— J'avance, j'avance, dit-elle enfin. Mais je t'appelais pour avoir un conseil.

— C'est un homme.

— Oui, avoue-t-elle. Mais il est pris. Vois-tu, c'est un être de vitesse. Et je ne sais comment lui plaire. Je pensais changer de coiffure et acheter des vêtements.

— Je te reconnais bien là. Tu ferais de l'ingestion d'un bout de pain un exercice métaphysique ! Mais j'ai une idée. Pour les cheveux, la coupe à la Louise Brooks. Les années vingt, c'est si décadent ! Et il te faut des bottes à talons très hauts. Oui, des bottes de sept lieues. Tu vas voir : on va le séduire. Je vais tout organiser. J'ai un coiffeur super et je connais les boutiques.

— Merci, dit faiblement Marie-Christine, qui n'a pas la force de résister à Zoé.

— Je te rappelle vite.

— À plus.

À l'idée de sacrifier sa chevelure, elle ressent un soulagement. C'est pour Marc qu'elle gardait cette coiffure, car elle savait qu'il avait un faible pour le romantisme. Marc ! Il savait imposer sa loi de manière détournée avec des petits mots comme « Bien » ou « Bof ». Au fond, elle vivait dans la peur de ne pas lui plaire. Mais elle a changé. En effet, elle est prête à oublier son vrai visage. C'est peut-être bon signe.

Zoé rappelle. Le rendez-vous est fixé au lendemain après-midi.

Marie-Christine pense à Franken et aux couteaux. Elle s'apprête à être elle-même scindée, morcelée, compartimentée. Elle a toujours aimé le bruit des ciseaux coupant les cheveux.

— Zoé est une intermédiaire. Elle travaille pour les NaZ et elle aide les Judéioformes, entend-elle.

C'est encore la voix de S.

— Quoi ? Quoi ? crie-t-elle presque.

Mais tout est silencieux. Elle va à la fenêtre et déplace légèrement le rideau afin de voir la rue. Les enfants y sont : vêtus de beaux vêtements, bougeant avec assurance. L'un d'eux a une main pleine de cailloux qu'il commence à lancer. Elle fait un pas vers l'arrière. Le crépitement la fait sursauter. Elle craint que la vitre de son appartement se craquelle.

Le bruit cesse enfin. C'est comme si l'enfant avait cherché à marquer son territoire. La folie du monde commence ainsi, songe-t-elle. Il y a d'abord la haine, puis le pogrom. Et alors des murs sont érigés.

Elle croit étouffer. En marchant sur la pointe des pieds, elle va se servir un verre de vin qu'elle boit devant le réfrigérateur ouvert.

Elle a dormi lourdement. Elle se réveille péniblement. Elle a de nouveau rêvé à Sy : ils riaient et au loin on voyait la mer. Ils se sont retrouvés dans une maison luxueuse. Au moment où Sy s'apprêtait à l'embrasser, une femme est apparue. Elle avait la silhouette de Sylvie, mais aucun visage. Sy s'est tourné et a disparu. (PSY : banal désir frustré, pense-t-elle.)

Avec des gestes pleins de précautions, elle prépare du café, qu'elle boit en feuilletant son dictionnaire. Elle cherche le mot « folie ». « Altération » et « trouble du comportement » : est-ce bien ce qu'elle vit ? Le Grand Zorg flotte toujours devant la fenêtre. Ce drôle de dieu s'est-il présenté à elle parce qu'une guerre se prépare ? Elle pense à ce préposé qui a refusé de lui vendre un passage. Peut-être est-elle effectivement évincée de la société.

Elle ne prendra pas le métro. Elle marchera jusqu'à la rue Saint-Laurent.

Quand elle sort, elle remarque une ligne blanche sur le pavé. A-t-on cherché à délimiter le quartier ? Et qui a fait cela ? Les enfants ? Même si elle respire avec peine, elle s'allume une cigarette. Elle doit cultiver des mauvaises habitudes si elle veut séduire Sy.

Elle parvient au salon de coiffure branché où l'attend Zoé. Le coiffeur, teint en roux, portant des boucles d'oreille et arborant un tatouage, la regarde avec un ennui évident. En effet, se dit-elle, je suis médiocre.

— Je vais revenir dans deux heures. Max va s'occuper de toi. Ensuite, nous irons te fringuer, lance Zoé qui quitte le salon en lui faisant un petit geste d'encouragement.

Le Max en question l'installe sur une chaise. Sa personne est multipliée et amplifiée dans les multiples miroirs. Il dit quelques banalités et il affirme que le noir fera un beau contraste avec ses yeux clairs. Il la mène ensuite au lavabo. Il enduit sa chevelure de teinture. L'odeur d'ammoniaque la réveille. Après un long moment, Max fait couler de l'eau froide sur sa tête. Elle lui trouve une expression sadique. (REF : mépris pour la femme, avance-t-elle.) Marie-Christine croit avoir vieilli démesurément ces derniers mois. Son regard exprime beaucoup de lassitude. Mais ses cheveux maintenant noirs lui donnent un air mystérieux.

— Prête ? lance Max en brandissant les ciseaux.

Le cliquetis lui remplit les oreilles. Max lui coupe les cheveux avec une nonchalance agressive. Elle craint même d'être blessée. Et en effet, il donne un coup de ciseaux plus violent qui lui fait une petite entaille sur le cou : le sang paraît, mais elle n'ose pas protester.

— C'est un NaZ, dit S.

Elle se raidit. Elle ferme les yeux, s'attendant à une agression. Dans son impuissance, elle se remémore ces vers de Baudelaire : « Je suis la plaie et le couteau ! Je suis le soufflet et la joue ! »

Puis, sans transition, elle tourne sur elle-même. « C'est fini ! » entend-elle. Elle ouvre les yeux et voit les cheveux à ses pieds. Elle attend avant de se regarder. Elle lève enfin les yeux: elle a une coiffure de vamp.

Zoé est revenue et elle s'exclame:

– Voilà, c'est magnifique! Il te verra. Tu as l'air d'une star.

Marie-Christine se lève et chancelle. Elle va payer en déroulant méthodiquement les billets. Elle laisse un pourboire à Max. Elle a eu un beau moment de terreur.

Zoé l'entraîne dans la rue en la tenant par le bras. Marie-Christine ne proteste pas lorsqu'elle sent un coude sur son sein. Elles s'arrêtent dans une boutique de chaussures. Zoé lorgne des bottes à très hauts talons.

– Ce sera parfait. Est-il grand?

– Très, même trop.

– Et toi, tu es plutôt petite. Tu as besoin de t'exhausser afin de le regarder dans les yeux. N'oublie pas d'être directe, voire impudente. Il ne pourra pas demeurer insensible.

– Je ne sais pas si je pourrai. Ce qui me consterne, c'est toute cette machination. J'aurai rêvé d'un élan franc, dépourvu d'arrière-pensées.

– Tu es idéaliste, ce qui est rafraîchissant. Moi je te conseille ces bottes: elles font pivoter le bassin vers l'avant. Et tes chevilles trembleront.

– Mais on dirait des bottes de pute.

– Justement! Visage d'ange, mise de dépravée: voilà la recette. Il faut évoquer la pureté sale, l'audace peureuse, l'extase triste. Tu apprendras à devenir un oxymoron. Tout ce qu'il te faut maintenant, c'est quelques pulls moulants.

Marie-Christine paie. Elle risque de défoncer son budget. Mais elle a toujours triomphé dans la pauvreté. Elle suit Zoé. Cette escapade a pour elle quelque chose de mystique. C'est avec soumission qu'elle accepte de jouer à la femme. Elle réussit à marcher avec ses nouvelles bottes et, en effet, son déhanchement s'accentue. Elle surprend sa silhouette dans une vitrine : elle a allongé et ses cheveux paraissent presque bleus. Et la tête de Zoé semble entourée d'un halo. C'est peut-être ce qui les unit : le refus du réel. Mais que signifie « intermédiaire » ? Zoé transige-t-elle avec le Mal ? Elle se sent pourtant en sécurité avec elle.

Elles s'arrêtent dans une boutique chère. Marie-Christine essaie quelques pulls dans la cabine d'essayage. Dans le miroir, son corps lui semble difforme. C'est Zoé qui choisit les pulls en disant :

— Voilà, comme une seconde peau. Et le noir crée une illusion d'optique : il a l'effet de resserrer les limites. C'est parfait. Tiens, je te les offre. L'avantage de ma vie à la Nelly, c'est l'argent.

Marie-Christine la remercie en lui promettant de la rembourser. Zoé sourit.

— Un jour, peut-être, quand nous serons plus vieilles et que nos os craqueront.

Elles se séparent après s'être fait la bise. Marie-Christine n'a pas encore l'habitude de sa nouvelle mise et elle passe la main dans ses cheveux plus courts avec l'envie de pleurer. Elle trébuche de temps à autre. Souffrir ou avoir du plaisir : elle ne sait que choisir. Elle comprend mieux Zoé qui brade son corps.

Quelques hommes lui jettent un coup d'œil. Puis c'est à l'arrêt d'autobus qu'elle voit une vieille femme vêtue d'un manteau gris. Lorsqu'elle passe devant elle, la femme lance : « Sale Juive ! Tous des chiens ! » Marie-Christine ressent une peur déraisonnable. Il y a tant d'aversion dans ce visage. Elle accélère le pas et parvient à son immeuble.

Rob est dans le vestibule. Marie-Christine tente de ralentir sa respiration. Il a toujours ce visage méprisant.

– Tiens, de nouveaux cheveux. Et surtout, n'oubliez pas de me remettre le chèque la semaine prochaine. Vous avez fâcheusement tendance à être en retard.

– Oui, oui, balbutie-t-elle.

Elle referme sa porte avec soulagement. Elle salue le Grand Zorg et va au miroir. Elle a bel et bien une petite entaille au cou. Elle appellerait volontiers la police. Elle ne détesterait pas revoir ce flic musclé muni de ce revolver. (PSY : le revolver est bien sûr un second sexe, décide-t-elle.)

Elle ne sait pas pourquoi, mais elle a besoin d'appeler son père. Elle tombe une fois de plus sur le répondeur. Sans réfléchir, elle dit : « Montréal est le pays d'Alice. J'avance dans mon travail. À bientôt. » Elle regrette un instant d'avoir jeté l'album de photographies.

Il est tard. Elle met de la musique très bas, du Schubert. Elle a les larmes aux yeux et elle ne peut que demeurer étendue. Oui, elle écrira : « Peut-être que le danger des œuvres ouvertes est qu'elles engendrent un excès de sens. Dans la nouvelle de M. Shelley, l'imaginaire complète les descriptions sommaires. Mais dans *Sarrasine,* tout est dit. On étouffe. Et le passage du S au Z ne s'effectue jamais vraiment : le S disparaît avec la mort de l'artiste. » Elle ajouterait : Sy, M comme Mal, W, Z, N de la négature, suis-je en train de comprendre quelque chose ? Les lettres sont-elles sacrées ? Et, de plus, y a-t-il un lien entre la Zambinella et Sy ?

Épuisée, elle s'endort avec en elle le souffle du violoncelle.

LA PERRUQUE DE LA DOCTEURE GEDDES

ELLE ACCEPTE D'ÊTRE DE NOUVEAU UNE PATIENTE. Elle attend avec humilité. Elle a l'étrange impression de participer à une mise en scène, car ces locaux aux murs en carton ont tout d'un décor improvisé.

L'infirmière Fineblitz paraît enfin et elle l'invite d'un geste las à la suivre. Elle a quelque chose de changé. Peut-être est-ce l'effet d'une minutie vestimentaire : elle porte une chemise de soie aux petits boutons de nacre, un pantalon en spandex qui moule son bassin en forme de poire et des chaussures à talons sur lesquelles elle perd l'équilibre. Elles s'assoient dans le bureau. Marie-Christine remarque alors que les yeux de Fineblitz sont cerclés de noir. En réalité, c'est elle qui a l'air d'une folle aujourd'hui.

— Je vois que vous avez changé de coiffure. C'est bon signe. Vous prenez soin de vous. Alors, comment allez-vous ?

— Je vois des choses, commence Marie-Christine.

— Oui, vos visions. Il y a des gens qui vont inventer des symptômes afin de ne pas aller travailler.

— Mais je ne mens pas !

— Tut, tut, tut !

Fineblitz sourit, exhibant des dents pointues.

Au même moment, la docteure Geddes entre. Marie-Christine constate que ses cheveux sont légèrement déplacés. Elle comprend qu'il s'agit d'une perruque. De plus, les joues de la psychiatre sont tavelées de taches de rousseur faites au crayon.

La docteure Geddes commence à rire.

— Vous disiez donc être comme Alice au pays des merveilles ?

— Oui, répond simplement Marie-Christine en constatant que la docteure Geddes a des pantalons trop courts.

— Vous avez d'ailleurs changé de tête. Rejetez-vous la nature ?

— Non. Enfin, c'était qu'avant tout me semblait si terne, balbutie Marie-Christine en regardant les mains de la psychiatre aux ongles vernis.

— Moi, je crois que vous inventez tout.

D'un geste théâtral, la docteure Geddes remplit un feuillet d'ordonnance. Puis en souriant, elle le déchire en petits morceaux.

— Fini ! Plus de pilules. Je vous conseille de faire de la course à pied et de boire du jus d'orange. Et je ne veux plus vous voir dans nos bureaux.

La perruque s'est encore déplacée.

— Mais, j'ai eu des appels téléphoniques de l'Association psychiatrique, proteste Marie-Christine.

— Ils n'appelleront plus, déclare la psychiatre.

Fineblitz se lève après avoir échangé un regard plein de sous-entendus avec la docteure Geddes. Comme elle tend le bras vers l'avant, deux boutons de sa chemise sautent, exposant le galbe d'une poitrine monstrueuse.

Marie-Christine en a assez vu.

— Et maintenant, il faut s'en aller, minaude Fineblitz.

Marie-Christine s'esquive vers la rue en s'empêchant de courir. On l'a déclarée saine d'esprit. Pourtant, elle croit basculer dans le non-sens.

Un brouillard épais enveloppe les choses et les êtres. Elle avance avec précaution, heureuse de porter des talons hauts qui claquent. Elle croise des gens vêtus de gris. En passant devant l'arrêt d'autobus, elle revoit la vieille femme qui, aujourd'hui, a les cheveux tordus en bouclettes tenues par des épingles et qui est toujours vêtue de son manteau fait à la main. Elle invective les passants. Elle hurle. Un cri puissant. Lorsque Marie-Christine passe devant elle, la femme lance : « Sale pute ! Sale Juive ! Tous des chiens ! » Elle hâte le pas afin de s'éloigner de cette vigie haineuse.

Elle monte les escaliers en respirant à peine. Son premier réflexe est d'enlever ses bottes. Mais elle entend des coups sous le plancher. Elle marche donc sur la pointe des pieds en se dirigeant vers la fenêtre, dont elle tire légèrement les rideaux. La rue est vide, les enfants ne jouent pas. Jouer à quoi, d'ailleurs ? À détruire ce qui les entoure ?

Le téléphone sonne.

— Oui, fait-elle, la gorge serrée.

Elle entend un drôle de bruit, une sorte de sifflement lointain qui lui fait penser à de l'eau qui bout et elle crie :

— Qui que vous soyez, cette blague n'est pas drôle.

Elle se rappelle sa mère qui lui faisait des spectacles de marionnettes lorsqu'elle était malade.

A-t-elle en réalité été recueillie comme un chien errant ?

— Cette blague n'a pas de sens, lance-t-elle en raccrochant avec violence.

C'est lorsqu'elle se couche qu'elle trouve enivrante la sensation de ses cheveux plus courts. Elle se veut épurée, condensée. Surtout, elle espère gagner le cœur de Sy. (REF : le cœur de la belle, mais la belle est ici un homme, stipule-t-elle.) Mais comment l'emporter sur Sylvie ?

En la dépassant en ardeur.

LA SECONDE LETTRE DE PROMÉTHÉE

ELLE S'EST PRÉPARÉE AVEC SOIN. Maintenant, elle hésite. Elle entrevoit Sy à travers la vitrine, ce qui lui coupe le souffle. Elle craint de ne pas réussir à parler. Elle entre dans le café. Un courant chaud lui fouette le visage. Sy lève les yeux et dit :

— Tiens, voilà notre Louise Brooks !

Elle balbutie une salutation et s'installe près de Finn, qui a son petit chien sur ses genoux. Tous les Illuminaires sont présents.

— Ah ! justement, nous avons besoin de ton avis. Prométhée a reçu une autre lettre. Montre-la-lui, dit Blue en faisant tinter ses bracelets.

Prométhée, le visage pâle, tend à Marie-Christine une lettre déjà froissée. Il est écrit : « Nous savons de source sûre que vous ne nous avez pas obéi. Il fallait faire parvenir la lettre précédente à six personnes. Mais vous avez ignoré notre avertissement. Il vous arrivera donc un malheur. »

La missive n'est pas signée, mais, au bas de la page, il y a un petit soleil noir.

— Moi, je ne m'inquiéterais pas, lance M. Shelley.

— Il faut la déchirer. J'ai devant moi la carte du Soleil, une carte qui ne ment pas. C'est plutôt le bonheur qui attend notre Prométhée. Et Zeus le protège, affirme Blue.

Marie-Christine ne peut réprimer son inquiétude.

— Il faudrait peut-être répondre, avance-t-elle.

— Mais répondre à qui ? demande Blue.

— Voilà le problème. Il s'agit peut-être d'intimidation de la part des NaZ, dit Marie-Christine.

— Nous sommes à l'aube d'une autre guerre, déclare M. Shelley.

— Oui, on a déjà commencé à persécuter les dissidents, dit Prométhée.

— Et on les mène à l'hôpital, continue Blue.

Sy s'assied à la table en déclarant :

— Bon, je fais une pause. Chose certaine, on m'a refilé du mauvais shit. Mon revendeur m'a dit qu'il y a eu des empoisonnements. Mais je ne vais pas aller voir un médecin, même si j'ai une oppression à la poitrine.

Marie-Christine peut à peine supporter la présence de Sy à ses côtés. Elle est certaine que si elle le touche, elle brûlera vive. Elle n'ose pas le regarder. Mais Zoé avait raison : avec la nouvelle coiffure, elle fait sensation. Sy l'a saluée différemment.

— J'ai entendu une voix me parler des Judéioformes qui sont en péril, dit-elle, sa voix se cassant.

— Oui, le terme est bien choisi. L'oppression vise tous les dissidents : ceux qui voient Dieu, ceux qui n'aiment pas l'argent, ceux qui rejettent la technologie, dit Finn.

Puis Sy a ce geste auquel elle pensera longtemps : il lui caresse rapidement la tête en souriant. Elle respire à peine. Elle est plus que jamais persuadée que Sy est un saint. Zoé se moquerait gentiment d'elle. Elle est devenue une amoureuse transie. Pourtant, jusqu'ici, rien ne l'a véritablement affolée : elle a eu pour les hommes un intérêt raisonnable. Elle a cru aimer Marc, mais elle comprend maintenant qu'elle s'est surtout entendue avec lui. Comment, à l'âge de trente ans, peut-on avoir le coup de foudre ?

— Je vous invite à un autre party chez moi. Cette fois, il y aura foule. Je vous attends demain à 22 h. Bon, je retourne bosser, annonce Sy en se levant.

Marie-Christine choisit ce moment pour s'en aller, car elle veut tout oublier. En effet, elle s'avoue que cette lettre menaçante l'inquiète. Elle salue les autres en promettant de se présenter au party.

Elle marche lentement. Il pleut. Elle a à l'esprit l'image de barbelés ensanglantés.

Elle ferme les yeux un moment.

Ne plus voir.

LA NUIT INTERMINABLE

ELLE S'HABILLE AVEC SOIN. Il faut plaire à Sy, lui qui est si moderne : il garde ses favoris longs, il a de la brillantine dans les cheveux, il porte des chemises rouges, il est chaussé de baskets et il a ce jonc d'argent tout simple à la main droite.

Elle s'est coiffée et maquillée. « Au revoir, Grand Zorg », murmure-t-elle avant de s'en aller.

Elle a l'argent pour un taxi. Elle s'installe sur la banquette arrière. Le chauffeur est un Noir au regard désintéressé. Elle a pour lui un élan de solidarité. Comme vous avez dû en baver, voudrait-elle dire.

Elle paie et sort du taxi. Elle trouve la porte rouge à la fenêtre grillagée. Elle entre et réussit à marcher avec légèreté. La musique est assourdissante. Il y a déjà beaucoup d'invités. Elle aperçoit Finn qui fume dans son coin. Cette fois, il n'a pas apporté Confucius. Elle le salue de loin. Puis elle voit Sy au fond de la grande pièce : avec une démarche lente, comme si elle s'avançait dans les ténèbres, elle se dirige vers lui. Il la salue.

— Tu veux de la coke ? dit-il.

Elle ne sait pas refuser. Elle est en effet bien déterminée à suivre Sy dans son monde. Elle s'agenouille devant la table basse. Génuflexions, soumission : elle se croit à l'église. Elle renifle deux lignes de neige en cachant bien qu'elle n'en a pas l'habitude. Le froid la gagne et, sans raison, elle rit. Elle gesticule en parlant de vide sémiotique à une fille à l'air endormi. Elle décide d'en mettre plein la vue à Sy et elle va danser en se déhanchant. Des phrases se bousculent dans sa tête, comme : « La sainteté est-elle un pis aller ? » ou « Le pécheur emprunte un chemin dévié vers la perfection ». Elle voit Blue et M. Shelley qui entrent dans le loft et elle les salue d'un grand geste. Elle rit encore. Blue sort son jeu de tarot et M. Shelley tape du pied, le regard flou, en pensant peut-être à ce qu'elle a écrit. Marie-Christine retourne à la table où est disposée la neige et elle se fait une autre ligne en sentant son cœur battre la chamade. Sy réapparaît et lance :

— Qui veut venir avec moi faire un tour de Camaro ?

Personne sauf Marie-Christine ne réagit. Elle anticipe déjà un baiser échangé par une nuit sans lune, à la lumière d'un lampadaire, au milieu de nulle part, car n'est-on pas à l'aube d'un pogrom ?

Sy enfile une paletot gris foncé comme en portaient les intellectuels pendant la Seconde Guerre mondiale.

— Viens, dit-il simplement.

Elle le suit avec l'intention de le posséder. Il marche rapidement et elle titube, ses mollets vacillant sur ses talons trop hauts. Ils parviennent à une rue mal éclairée : une automobile mauve avec des flammes peintes sur le capot est stationnée devant une station d'essence désaffectée.

— Je l'ai retapée. Il faut entendre le moteur ! La police m'arrête fréquemment. Mais je n'ai pas payé mes contraventions, car j'ai Dieu. Oui, je vois Dieu après une bonne bouffée de haschisch. Tiens, assieds-toi.

Elle a le souffle coupé. Sy est si véloce ! (REF : Surnature, décide-t-elle.) L'automobile fait tout un tintamarre. Sy conduit d'une main. Elle l'observe du coin de l'œil : beauté, se dit-elle. Oui, c'est comme s'il était une image créée par Franken. Elle craint un accident et se demande où il l'emmène. Mourir en sa compagnie serait une bonne chose. Puis Sy dit : « C'est là, l'appart de Joël. » Il stationne la Camaro en faisant crisser les pneus. Il sort en bondissant. Elle est déçue : elle espérait un baiser.

Ils entrent dans un appartement aux murs peints en noir, une musique techno joue, elle regrette de ne pas avoir été accueillie par la *Neuvième Symphonie* de Beethoven. Des instruments de musique sont posés sur une estrade : guitares électriques, batterie, claviers. Assis par terre, des gens se font des lignes de neige. Au milieu de ce cercle se trouve un appareil qui sert à brûler du crack. Sy s'assied et prend une bouffée. « C'est du bon stock, man », dit un jeune homme avec une coiffure rasta. Elle s'assied et décide d'imiter Sy. Elle inhale la fumée. Son corps entier est soulevé et elle ressent un mélange de malaise et de bien-être. Elle se lève rapidement, trouve la salle de bains où traînent des seringues et elle vomit dans la cuvette. Puis elle se regarde dans la glace : elle a mauvaise mine et son noir a coulé. Mais elle croit plaire à Sy ainsi. Elle rejoint le groupe. On la regarde à peine.

— Tiens, c'est ton baptême ! Attention ! tu ne seras plus jamais la même, lui dit Sy, dont les yeux gris ont des pupilles contractées même dans l'obscurité.

Au bout d'une quinzaine de minutes, Sy se lève et déclare :

— Je vais au loft de Judy. Sylvie m'attend. Tu veux venir, Marie-Christine ?

— Oui, bien sûr, répond-elle.

Pour toi, j'irai au bout de la nuit, songe-t-elle.

Elle avait oublié l'existence de Sylvie, sa rivale. Elle ne sait plus quoi faire pour séduire Sy. Elle se souvient que Dali s'était couvert de sang de bœuf pour plaire à Gala. Elle reprend place dans la Camaro. Nouvelle accélération : elle encaisse le choc de la vitesse. Sy ne parle pas. Elle essaie de faire la conversation.

— Tu as déjà écrit ? Moi, je m'acharne sur mon mémoire, dit-elle en regrettant aussitôt d'avoir parlé.

Au bout d'un moment, Sy lui offre des mots auxquels s'accrocher.

— J'ai déjà essayé d'écrire, mais je me suis arrêté après une page. Et je ne peux dessiner que des bonhommes allumettes.

Elle l'imagine ouvrant sa braguette devant un client. Si elle lui tendait des billets, l'embrasserait-il ? Elle doit s'empêcher de pleurer.

— Et ton jonc, tu le portes pourquoi ? ose-t-elle demander.

— Il appartenait à ma grand-mère. Je le porte pour me rappeler que je suis le fils de quelqu'un.

— Et tes parents ?

— Riches et trop permissifs.

Il stationne l'automobile en freinant abruptement. Il claque la portière et fait un geste ambigu : l'invite-t-il ou la repousse-t-il ?

Ils entrent dans un loft éclairé par une lumière très jaune qui évoque le soleil. Sylvie s'avance vers eux, toujours aussi fatale, vêtue d'une minijupe en cuir noir. Sy va se faire d'autre poudre. Puis il retrousse sa manche et laisse Sylvie lui faire une injection. Marie-Christine se doute bien qu'il s'agit d'héroïne. Maintenant, Sy et Sylvie sont affalés sur un divan et ils se tiennent par la main. Elle étouffe de jalousie. Il est sans doute temps de s'en aller. Elle ne sera donc pas une sainte.

Mais voilà que Finn apparaît. Il s'approche d'elle. Ce visage sibyllin la rassure.

— Justement, je te cherchais. Ce n'est pas un endroit pour toi, dit-il.

— Mais que fais-tu ici ?

— Je suis venu avec des gens. Ici, on se fait mal. Viens, allons chez moi. Je vais te faire du thé. Le thé spiritualise la douleur. Tu es amoureuse de lui, n'est-ce pas ?

— Oui.

— Ça passera. Sy est presque inhumain. Il n'a d'amour que pour son dieu. Je l'ai entendu dire « j'ai mes visions et cela me suffit ». Sy est un peu un vampire : il a une capacité sans limites pour les drogues. Mais je vois que tu es déjà abîmée. Tu n'as pas besoin de toute cette cocaïne.

— Je n'ai pas aimé ça.

Finn lui prend doucement le bras et ils sortent. Ils marchent un moment en silence. Puis Finn dit : « J'habite tout près d'ici, rue Saint-Laurent. »

L'appartement de Finn est meublé de façon minimaliste. Deux chats les accueillent en miaulant. Le petit chien est couché sur un coussin. Finn les caresse avec un plaisir évident.

— Mes chats sont trop nerveux pour être traînés dans un sac. Mais ils s'entendent bien avec Confucius. Oui, comme le dit Baudelaire : voir l'éternité dans les yeux de mes chats. Malraux aussi aimait les chats. Et je suis certain que mes chats voient aussi mon Bouddha-saint François d'Assise.

Un chat se frotte contre les mollets de Marie-Christine, ce qui la réconforte. Finn prépare du thé au jasmin avec des gestes précis. Elle s'assied sur une chaise, soudain épuisée. Finn lui tend un gobelet fumant.

— La cocaïne, c'est pour ceux qui ont le cœur solide. Moi, je n'y touche pas. Aimer Sy, c'est courir à sa perte.

— Mais j'ai eu le coup de foudre. Je n'y peux rien, proteste Marie-Christine.

— Ça passera. Tu as sans doute été séduite par sa vélocité. Je l'avoue : Sy est un homme inhabituel. Il semble survoler le monde avec une aisance démoniaque.

— C'est un saint. Son nom débute par un vrai S, le S qui glisse, non le S qui devient un Z.

— Oui, peut-être bien. Il est prêt à se sacrifier pour connaître l'illumination. Mais bois un peu de thé. Cela t'apaisera.

Elle obéit et doit avouer que la finesse de ce thé la réconforte. Finn a raison : elle ne peut pas suivre Sy. Mais qu'est-elle ? Une intellectuelle sans avenir ? Une femme qui se meurt ?

— Tiens. Tu pourras dormir dans mon lit. Chagall et Pléonasme vont se coucher à tes pieds. Si tu veux, je vais te donner des herbes qui vont t'apaiser.

Il sort quelques fioles d'une armoire.

— La valériane soulage l'insomnie. Et le kava-kava va te pacifier.

Elle avale les comprimés sans se poser de questions. Puis elle va se coucher. Peu à peu, son cœur retrouve un rythme normal. Elle s'endort avec un chat qui ronronne contre elle.

Elle se réveille en sursaut. Un soleil blafard illumine la pièce. Elle se rappelle les événements de la nuit : Sy, la vitesse, la drogue. Elle entend des cliquettements : de toute évidence, Finn est à la cuisine. Il paraît en portant un plateau.

— Du pain noir, des œufs durs, du hareng fumé et du café noir. Il n'y a rien comme un petit-déjeuner norvégien pour se remettre sur pied.

Elle boit et mange. Elle se sent aussi épuisée que si elle avait longtemps couru. Un chat se frotte contre ses mollets. Le visage de Finn exprime tant de sérénité qu'elle ressent une honte diffuse. Oui, elle a cherché à être une autre. Et elle ne peut qu'aimer Sy malgré tout. La sainteté de Sy le pousse-t-il à abîmer les autres ?

Elle se redresse et dit :

— Bon, je crois que ça va mieux. Je te remercie, Finn.

Il sourit, toujours aussi mystérieux.

— Voudrais-tu venir avec moi à La Croissanterie ?

Elle hésite. Devra-t-elle offrir à Sy son visage défait ?

— Oui, Sy sera sans doute là, continue Finn. Mais n'oublie pas : il va si vite qu'il ne peut que meurtrir les autres. Il est avec Sylvie parce qu'elle réussit à le suivre. Mais toi, tu es une contemplative : tu aurais plus ta place dans un roman de Proust. Mais le cœur oublie. C'est d'ailleurs ce que je te conseille : de tout oublier, de revenir à ton ancienne coiffure, de retrouver ton rythme. Sy risque de te détruire.

Elle a une vision : sur l'épaule de Finn est assis un petit ange bleu. Et elle entend la voix de S chuchoter le mot « résignation ».

Finn met Confucius dans son sac. Ils sortent. Elle ne s'est pas regardée dans une glace, mais elle sait que des veines bleues doivent apparaître sur ses tempes, ce qu'aimait Marc, qui affirmait qu'elle avait l'air d'une femme fragile. Mais ce n'est pas la fragilité que Sy recherche. Elle lisse tout de même distraitement ses cheveux dont le noir artificiel doit luire étrangement sous ce soleil blanc.

Ils parviennent au café après avoir marché en silence. La présence de Finn la console : elle croit avoir trouvé un allié. Tous les Illuminaires y sont. Elle constate que Sy est inchangé malgré tous ses excès : il a bon teint, ses yeux brillent et il est calme. (REF : Sur-nature encore, se dit-elle.)

Elle s'assied entre Blue et Finn. Blue, comme d'habitude, tire les cartes. Prométhée boit son éternel verre d'eau. M. Shelley se penche vers elle.

— Alors, tu crois que ma nouvelle pourrait être publiée ?

Marie-Christine ment.

— Oui, sans aucun doute.

Elle n'avoue pas que même si ce texte se prête bien à l'analyse, il est en réalité trop concis et trop étrange pour plaire au lecteur moyen, trop d'avant-garde peut-être. M. Shelley, qui est Noire, a été contrainte de s'initier à la littérature faite par des Blancs pour des Blancs. Malgré tout, elle a réussi à écrire. Ses personnages ont toutefois une identité sommaire. On suppose qu'ils sont Blancs, mais rien n'exclut qu'ils soient Noirs ou Jaunes. Au fond, Franken et Sophie, parce qu'ils sont peu décrits, deviennent encore plus mystérieux. Oui, M. Shelley a du style, pense Marie-Christine.

Elle sursaute. Prométhée vient de lui prendre le bras.

— Ne te soumets pas au vice, belle demoiselle, dit-il en la regardant avec intensité.

Elle ne sait que dire.

Elle se lève en déclarant qu'elle doit travailler. Elle sort précipitamment.

Je ne vivrai pas mon histoire d'amour, comprend-elle.

Elle est exclue de l'univers de Sy, Sy qui demeure pour elle un saint. Elle ne connaîtra pas l'ineffable tourment du bonheur.

POURSUITE DE L'ANALYSE DE LA NOUVELLE DE M. SHELLEY : LE CHOIX DE SOPHIE

ELLE ÉCRIT : « On a cette image de la sainteté : abstinence, souffrance, abnégation. On croit communément qu'il s'agit d'un état de négation. Est saint qui s'abîme pour la cause de Dieu. Sophie, qui personnifie la sagesse, s'offre à un monstre, en l'occurrence Franken. Mais comme dans un jeu de miroirs épuisant, la pureté de Sophie finit par se perdre. Et elle accepte d'être humiliée au nom des apparences.

[...] Elle (ou plutôt son image) a fait la page couverture d'une revue pour mariées. Franken avait réussi à lui allonger le cou. Un voile ridicule, de tulle blanc, lui couvrait le visage, mais on voyait ses yeux trop maquillés. Elle avait l'air d'une femme battue.

REF : le mariage

SEM : antithèse : la mariée est pareille à une femme battue

HER : Sophie est-elle en danger ?

[...] Et il y avait sa bouche ouverte : néant, abîme. Elle s'est promis de ne plus manger. Malheureusement, comme Eliza, elle raffolait des petits chocolats. Elle en a enfourné toute une boîte.

SEM : le trou
REF : la gourmandise des femmes
PSY : la tentation d'une sainte
ACT : manger

[...] Le lendemain, Franken a dit : « Tu es grosse. » Et elle a répondu : « C'est vrai. Il faudrait me découper les hanches. » « C'est justement ce que je comptais faire, car je suis plus fort que Zeus et je punis la laideur ! s'est écrié Franken.
SEM : la coupure
REF : Pygmalion
PSY : mépris pour le corps de la femme

[...] Il a disparu dans sa chambre noire. Elle a attendu sagement en feuilletant une revue remplie de filles à la bouche ouverte. Puis Franken a réapparu en brandissant une photographie. Il levait le bras comme un athlète victorieux.

Elle a regardé le cliché. C'était bien elle, mais avec le corps morcelé et squelettique d'une victime d'Auschwitz.

— Merci, a-t-elle dit. Maintenant j'ai de l'allure.
SEM : encore la coupure
REF : le martyre des Juifs
HER : Sophie va-t-elle imiter l'image ?

« Chez les nazis, il y avait en effet un travail sur l'image au nom de la propagande. L'horreur était restructurée.

Ici, le corps de Sophie sert de matériau pour le travail de Franken, lui qui élague et reconstruit les corps.

« Sy est-il en réalité une statue parfaite ? A-t-il été conçu par un créateur omniscient ? Sa perfection l'éloigne des humains, sans compter qu'il a une résilience peu commune. Éliminer ce paragraphe plus tard.

[...] Elle ne se doutait pas que Franken allait devenir fou.

SEM : ignorance

REF : innocence d'une jeune femme

HER : dévoilement de l'énigme. On sait que Sophie est en danger.

« La folie de Franken est ainsi annoncée. Et le corps de Sophie cessera d'être une métaphore.

« Sy accomplit-il un miracle en se droguant ? Et le corps de Sy est-il pour moi une métaphore ? Il m'a démontré que seuls quelques élus peuvent connaître l'extase. *Wild is the wind.* C'est mon histoire. Je suis emportée par le vent.

PSY : je suis la mendiante qui cherche à rejoindre le saint

REF : l'amour déçu

Paragraphe à éliminer.

« Je n'en peux presque plus. Comme Sarrasine, je vis une histoire d'amour impossible. Et je ne sais plus nommer les choses. » Autre paragraphe à éliminer.

ASSASSINAT

ELLE DÉLAISSE SON ORDINATEUR, ÉPUISÉE. Elle va s'asseoir par terre, près du Grand Zorg. Elle fume distraitement une cigarette. Le téléphone sonne. Elle ne l'a pas coupé malgré les avertissements de Blue. Elle répond tout de même. C'est son père.

— Alors, tu fais toujours de la « lologie », lance-t-il.

— Mon mémoire avance. Je devrais avoir tout terminé au printemps.

— Et que comptes-tu faire après ?

— Peut-être un doctorat.

— Mais il faut penser à la vraie vie.

— La vie n'est jamais vraie, papa. Et pour toi, tout va bien en Floride ?

Je vais au concert, je me baigne et je joue au tennis. Je conseillerais à tout le monde de prendre une retraite anticipée. Mais pour ça, il faut avoir beaucoup travaillé comme moi. N'oublie pas que c'est grâce à mon argent que tu as pu fréquenter de bonnes écoles.

— Oui, papa.

— Alors, tout va bien dans la tête ?

— Oui. Le médecin m'a dit que j'étais fatiguée.

— Je compte venir à Montréal dans trois semaines. Nous nous verrons.

— Oui. J'ai changé de coiffure.

— Pour qui ?

— Il n'y a personne, ment-elle.

— Bon, nous nous rappellerons. Tu sembles absente.

Il a déjà raccroché.

Elle voit le Grand Zorg qui se déplace.

— Attention, attention ! dit-il.

Elle a une sensation de vide, comme si son existence était une histoire mal écrite avec des pages manquantes. Et cet homme qui prétend être son père, l'aime-t-il ?

— Mais attention à quoi, Grand Zorg ?

Une fois de plus, il n'y a pas de réponse.

Marie-Christine se rend à l'université. Elle met un pied devant l'autre avec précaution. Le ciel lui semble infini. Elle s'engage dans le long couloir. Elle trouve le bureau et doit faire un effort pour sourire. La docteure Samson l'accueille avec son flegme habituel.

— Ah, une nouvelle coiffure ! Oui, le changement, c'est bien, dit-elle.

— J'ai inclus une analyse de texte.

La docteure Samson lit rapidement les pages que Marie-Christine lui a remises.

— Bien, bien. Intéressant. C'est peut-être trop épuré. Mais il est vrai que vous parlez d'épurement. Vous avez choisi de suivre les traces de Barthes. Difficile ! Barthes est un maître intransigeant. Il avait l'esprit flexible et une plume de maître. C'était un philosophe de la fluidité.

— Je le sais. Je le vénère. Ce sera ma petite contribution au monde de la pensée.

— Laissez-moi votre travail. Je vous appellerai après l'avoir lu avec attention.

Sur ce, la docteure hoche la tête pour clore l'entretien.

Marie-Christine est vaguement démoralisée : écrire d'après Barthes, c'est comme se noyer. Elle est tentée de retourner à La Croissanterie, mais elle se ravise. Elle se l'avoue : elle souhaiterait que Sy soit émasculé comme un vrai ange. Bassin lisse, masculinité érodée : voilà ce qui la tenterait vraiment.

Elle reste chez elle pendant une semaine sans sortir. Elle mange de la soupe Lipton, boit du vin et écoute de la musique. Elle fait le moins de bruit possible pour ne pas entendre les coups de son voisin. Elle rêvasse et elle regarde le Grand Zorg. Puis un matin, elle entend : « Creation of nothingness ! » C'est S qui crie.

Elle comprend qu'il est temps de sortir.

Lorsqu'elle parvient à La Croissanterie, elle observe Sy durant de longues minutes par la vitrine. L'amour continue de la sidérer. Mais elle constate qu'il a l'air préoccupé. Elle entre dans le café et voit Blue qui pleure à côté de Finn qui a la tête entre les deux mains. M. Shelley, elle, fixe droit devant elle.

— Bonjour, lance-t-elle.

Blue hoquette.

— Mais où étais-tu ? C'est Prométhée. Il est mort.

Elle encaisse la nouvelle sans broncher.

— Mais comment mort ? Prométhée n'avait pas le droit de mourir. Il était jeune.

C'est Finn qui explique la situation. « Comme à son habitude, Blue est allée porter une bouteille d'eau à Prométhée. Elle s'est rendue à son petit appartement de la rue Saint-Marc. La porte était ouverte. Elle l'a vu gisant dans une mare de sang, ses bras et ses jambes liés par des chaînes. Elle a couru au café, d'où elle a appelé la police, qui est vite arrivée. Prométhée aurait donc été assassiné. On lui a enlevé son foie. Il a dû souffrir atrocement. On nous a déjà interrogés. »

— Mais ce n'est pas possible ! Qui aurait ciblé Prométhée ? réussit-elle à dire.

— N'oublie pas ces lettres avec le soleil noir. Nous en avons parlé aux policiers. Ils pensent qu'il s'agit d'un crime prémédité.

— Tout ça n'est qu'une mauvaise blague, balbutie Marie-Christine en évitant de regarder Sy.

— De plus, on nous a dit qu'il y avait un détail étrange. À l'endroit de son foie une note était épinglée. Il était écrit : « Gracieuseté de Franken. »

Marie-Christine devient étourdie. Elle se tourne vers M. Shelley, qui semble perturbée, et lui demande :

— As-tu fait lire ta nouvelle à quelqu'un d'autre ?

— Non, rien qu'à toi.

— Donc c'est un certain Franken qui a signé le meurtre.

— Oui, dit platement M. Shelley.

Elle explique aux autres que Franken est un personnage de sa nouvelle.

— C'est peut-être un hasard. Mais c'est quand même troublant, dit Marie-Christine.

Un silence pesant suit.

— Soyons solidaires. Il est évident que personne ici n'est un meurtrier. Nous avons des devoirs à faire. D'abord, la police a dit qu'il faut quelqu'un pour identifier le corps, explique Finn.

— Je ne peux pas, dit Blue en hoquetant.

— Bon, j'irai, assure Marie-Christine, surprise par son sang-froid.

Elle a déjà été exposée à la mort. Mais c'est la première fois qu'elle a affaire à un crime.

— Je vais t'accompagner, dit Finn.

— Mais la police est-elle notre alliée ? objecte M. Shelley.

— Nous n'avons pas le choix, dit Blue.

— Ils vont sans doute faire une enquête, mais c'est à nous de découvrir le coupable, lance Finn.

Sy intervient.

— Prométhée était si pur ! Peut-être lui a-t-on tout bêtement volé son foie.

— Dans la mythologie, c'est un aigle qui mange le foie de Prométhée, mais ce foie se régénère chaque nuit. Et il est enchaîné, dit Marie-Christine après avoir respiré avec force.

— Ici, l'aigle s'appelle Franken, déclare M. Shelley.

— Il faudra être plus forts que la police, conclut Finn.

Marie-Christine et Finn vont à la morgue. Un flic à l'air indifférent les emmène dans une grande salle froide. Sans empressement, il se dirige vers un genre de tiroir et tire sur la poignée. Prométhée est étendu sur une plaque de métal. Une large cicatrice barre son abdomen à l'endroit du foie.

— C'est bien lui, dit Finn.

— Votre Prométhée s'appelait en réalité Sean Dragon. Il était amérindien, révèle le flic. Le connaissiez-vous bien ?

— Je l'ai fréquenté pendant plusieurs mois. Il ne semblait pas avoir d'ennemis. Mais il est vrai qu'il a reçu des lettres menaçantes, dit Finn.

— Oui, Madame Saint-Jacques nous en a parlé. Mais elles ont été déchirées.

— Blue s'appelle Marie Saint-Jacques, explique Finn à Marie-Christine.

Elle demeure étonnamment calme. Il s'agit bien là d'un cadavre. Elle doit se retenir de caresser cette chevelure noire encore luisante. Prométhée avait un corps si lisse !

— Nous avons entrepris l'enquête. Ce ne sera pas facile, je vous préviens. Pas d'empreintes, un travail de professionnel. Et la note signée Franken ne nous apprend pas grand-chose pour l'instant. Nous pensons que c'est une histoire de trafic d'organes. Mais c'est un cas difficile.

Et le flic cligne des yeux comme s'il était aveuglé.

Marie-Christine et Finn se taisent après s'être échangé un regard plein de sous-entendus.

— Oui, ça s'annonce mal. Bon, merci d'être venus, dit le flic avec un geste évasif.

Finn prend la main de Marie-Christine et l'entraîne dans la rue.

— Qu'en penses-tu ?

— Je crois que la police a déjà abandonné.

Elle respire trop vite. Elle aurait posé un baiser délicat sur le front de Prométhée.

— Nous n'avons pas le choix. Nous devons faire notre propre enquête. Le meurtrier a bien signé Franken, déclare Finn.

— Oui, quelle horreur !

— Et qui d'autre pourrait connaître le nom de Franken, outre M. Shelley et toi ?

— Ma directrice de mémoire, avoue-t-elle.

DÉBUT DE L'ENQUÊTE

ON A DÉCIDÉ DE FAIRE DEUX GROUPES. Blue sera avec Sy et M. Shelley. Finn et Marie-Christine enquêteront ensemble.

Marie-Christine aurait voulu faire équipe avec Sy. Mais elle se console en se disant qu'elle aurait de toute manière perdu tous ses moyens. Sy continue de susciter en elle un tel trouble qu'elle ne peut que rougir et balbutier des phrases incohérentes.

Finn semble lire dans ses pensées. Il lui tapote gentiment le dos. Puis il dépose sur la table le sac avec le petit chien.

— Confucius peut nous aider. Il est comme un oracle. Une fois, je l'ai entendu japper. Quand je suis arrivé dans le salon, je l'ai vu mordre le pantalon d'un petit voleur qui tentait d'emporter ma stéréo.

— Bon, dit Blue qui pleure discrètement.

— Donc, résumons la situation. Le tueur a infligé à Prométhée la punition de Zeus. C'est donc quelqu'un d'éduqué qui connaît la mythologie, commence Finn.

— Et dans ma nouvelle, Franken s'identifie à Zeus, dit M. Shelley.

— Mais nous avons affaire à un fou qui découpe les corps, ajoute Sy.

— Comme Franken.

— Alors, par où commencer?

Finn révèle que la directrice de mémoire de Marie-Christine a lu la nouvelle.

— Cela ne nous avance pas beaucoup, dit Sy.

— Et il y a les lettres avec le soleil noir que nous n'avons plus, fait remarquer M. Shelley.

— Les NaZ, peut-être, commente Marie-Christine.

— Tout cela est confus, dit Blue.

Finn se lève et claque des mains d'un air décidé.

— Bon. Marie-Christine et moi allons interviewer les voisins. Vous, écrivez vos idées sur le papier. Nous nous retrouverons plus tard.

Marie-Christine regarde les bras de Sy : il ne doit pas se piquer régulièrement, car sa peau ne présente pas de marques. Oui, Sy est indestructible. Les excès ne l'épuisent pas. Elle doit réfréner son envie de le toucher. Comme s'il devinait son trouble, Finn la prend par la main. Elle se détend légèrement.

— Bon, allons-y, dit-il.

Chemin faisant, Finn résume la situation.

— Prométhée habitait une chambre dans un immeuble vieillot de la rue Saint-Marc. Il ne travaillait pas. Il vivait vraisemblablement de l'aide sociale. Il était frugal. Tout ce qu'il avait, c'était un ordinateur. Nous avons du pain sur la planche. Blue et les autres semblent hors d'état d'agir.

Ils entrent dans l'immeuble.

— Commençons par ici, suggère Finn.

C'est Finn qui frappe à la porte. Une vieille femme à la tête ornée de bigoudis roses répond.

— Bonjour, Madame. Nous sommes des amis de l'homme qui a été assassiné, commence Finn.

— Ah oui, au deuxième étage. J'ai vu la police.

— Le connaissiez-vous ?

— Je le croisais de temps à autre dans l'escalier. Je l'ai aperçu à quelques reprises en compagnie d'une femme vêtue de mauve. Mais je ne lui ai jamais parlé.

— Croyez-vous qu'il avait des ennemis ?

— Je n'en ai aucune idée.

Sur ce, elle ferme la porte violemment.

Ils frappent aux autres portes, mais personne ne répond.

— Cela ne nous apprendra rien, conclut Finn. Viens, allons réfléchir devant une tasse de thé.

Il mène Marie-Christine dans un restaurant chinois du coin qui, affirme-t-il, est tout à fait sécuritaire. Ils s'assoient près d'une baie vitrée. Finn commande. Au bout de quelques minutes, une serveuse dépose devant eux du thé odorant.

— Alors, cette nouvelle de M. Shelley, qu'en penses-tu ? commence-t-il.

— Elle a du talent.

— Crois-tu que le texte contient la clé de l'énigme ?

— Il le faut. On y trouve le nom de Franken, un nom que je voyais pour la première fois. Mais la police ne semble pas prendre la note au sérieux. Moi je crois que c'est important.

— Et ta professeure a lu la nouvelle...

— Oui, j'ai commencé à en faire l'analyse dans mon mémoire.

— Mais serait-il possible qu'elle l'ait fait lire à quelqu'un d'autre ?

— Oui, pourquoi pas.

— Il faudra le lui demander.

— Il y a sûrement un lien entre ce meurtre et les lettres de menace.

— C'est un sacrifice. Celui, ou celle, ou ceux qui ont tué Prométhée semblaient vraiment croire qu'il avait le feu, déclare Finn.

— Mais il y a l'aigle. L'aigle de Zeus dévorait le foie de Prométhée. Le tueur est peut-être une sorte d'illuminé qui croyait obéir aux ordres d'un dieu.

— Prométhée était si secret ! Blue m'a vaguement dit qu'il était schizophrène et qu'il refusait de s'abêtir avec des médicaments. Mais en dehors de nous, qui savait qu'il se faisait appeler Prométhée ? demande Finn.

— Tu crois que M. Shelley est dans le coup ?

— Non, impossible, affirme Finn.

— Mais c'est elle qui a inventé Franken.

— Peux-tu l'imaginer découpant un abdomen pour en retirer le foie ? Non, elle est pacifiste. C'est une victime et non une tortionnaire. Elle aussi a été à l'hôpital, où on l'a traitée de folle. Elle m'a raconté qu'elle marchait dans la rue lorsqu'elle a senti une piqûre. Bref, elle s'est écroulée.

— Il est vrai qu'elle est noire et qu'elle a dû être victime de racisme. Je ne sais que penser... Mais je lance cette idée : et si M. Shelley avait trouvé le cadavre et avait décidé de laisser une note avec le nom de Franken. Pour mystifier tout le monde. Une sorte de vengeance.

— Non, c'est trop tordu, dit Finn, catégorique. De plus, je ne crois pas que M. Shelley savait où habitait Prométhée. Il n'y a que Blue qui s'occupait de lui.

— C'est peut-être l'œuvre de satanistes.

— Tu crois à ce que prétend David Icke ?

— Peut-être bien.

Marie-Christine parle des coups de téléphone de l'Association psychiatrique.

— Alors, on t'a harcelée, reprend Finn.

— Oui, et j'ai même vu une psychiatre qui m'a heureusement dit que j'étais normale.

— C'est de l'oppression. Tu crois que l'assassinat de Prométhée a un lien avec une sorte de néonazisme ? On sait que les nazis exterminaient les malades mentaux.

— Oui. Pense au soleil noir sur les lettres. C'est censé être le symbole du Mal.

— Mais le nom « Franken » rétrécit la liste des coupables potentiels, remarque Marie-Christine.

— La réponse est peut-être à l'université.

Finn a un air pensif. Il caresse distraitement Confucius qui s'est roulé sur le dos. Marie-Christine boit du thé en se rappelant Prométhée : il avait quelque chose de mystérieux et on ne pouvait que s'attacher à lui. Face à la mort, étrangement, elle retrouve ses forces et elle aimerait bien démasquer l'assassin. Mais la ville est dangereuse.

— J'irai rencontrer la docteure Samson demain afin d'en avoir le cœur net, dit-elle.

— Je vais t'accompagner. Comme les apôtres, nous nous déplacerons à deux.

— D'accord. Je t'attendrai devant les tourniquets de la station Berri-UQAM à 14 h.

— Mais il ne faut pas prendre le métro. Blue m'a raconté qu'on a essayé de la violer, à l'heure de pointe par-dessus le marché. Elle a donné un coup de pied dans les tibias de son agresseur et elle s'en est tirée.

— De toute manière, on a refusé de me vendre un passage. Depuis, je ne prends plus le métro.

Elle relate brièvement l'incident.

— C'est peut-être un incident isolé. Ou bien c'est le début de la guerre. Quoi qu'il en soit, ne pense plus à ça. Et surtout, ne pense plus à Sy. Sy est surhumain, dit Finn.

Elle se tait. Finn a sans doute raison. Elle pose la main sur son cœur qui bat la chamade. Et elle se lève. Il sera désormais inutile de porter des talons hauts.

Lorsqu'elle rentre chez elle, après une marche épuisante, elle trouve une enveloppe. Elle l'ouvre : il s'agit de la même lettre qu'a reçue Prométhée, sans autre signature que le petit soleil noir.

Elle s'assied devant le Grand Zorg. Elle est incapable de parler.

Vivre ou mourir : peu lui importe maintenant.

LE SOURIRE ÉCLATANT DE KATHY SAMSON

ELLE ÉCRIT RAPIDEMENT QUELQUES LIGNES qu'elle montrera à la docteure Samson.

« La Zambinella n'est rien sans sa parure : créature sociale, elle se déploie autour du vide. Grâce à son sexe tronqué, sa voix peut exploser. Sa voix exprime la plénitude : mais la Zambinella a tout d'un robot. Cette féminité fallacieuse séduit Sarrasine. Mais pourquoi Sarrasine, après avoir compris qu'il s'agit d'un castrat, ne poursuit-il pas l'aventure ? Par peur des conventions sociales ou du fait d'une véritable aversion ?

« Franken fait répéter à ses modèles le mot "sodomie". Nie-t-il leur féminité ? C'est comme s'il voulait transformer Sophie en une Zambinella. Avec ses scalpels, il castre symboliquement ses modèles.

« Qu'a Sy entre les jambes ? Un sexe ou une baguette magique ? Éliminer ces interrogations.

« De nos jours, Sarrasine aurait peut-être assumé ses penchants. Je l'affirme : l'homme est une femme qui est un homme. Le Z annonce la dissolution de l'identité sexuelle. Le dégoût de Sarrasine ne trompe personne : la vanité outragée l'emporte sur la curiosité sexuelle. En réalité, il aime un faux homme. Sa passion est religieuse.

« Si Sy n'avait pas de sexe, l'aimerais-je ? Nature asexuée du saint : Sy tend vers l'impossible. Sy trouve son bonheur dans les paradis artificiels, mais qui dit que les états seconds ne sont pas plus valables ? Il a une nature sacrée, exaltée par la cocaïne et l'héroïne. Il est un acteur dans un texte sacré. Éliminer ce paragraphe.

« Sarrasine ne comprend rien aux conventions sociales. Des protecteurs puissants empêchent la Zambinella de se mêler au monde. Sarrasine, qui menace de tuer cette fausse femme, cette Zambinella qui l'a séduit, sera assassiné. À la fin, le mensonge l'emporte sur la passion, une passion aveugle qui défie les normes.

« Le désir culmine dans la mort. »

Elle imprime la page et se prépare à sortir. Elle n'oublie pas la lettre de menace dont elle compte faire des copies. Elle se regarde dans la glace en replaçant ses cheveux. Échec, échec. Elle a du style, mais pas de rigueur.

— Tu es la suivante, dit le Grand Zorg.

Elle baisse la tête en observant ses mains aux paumes rouges. Le sang afflue en elle. Pourtant, si elle comprend bien, elle est traquée comme Prométhée.

Elle se donne un élan et elle s'engage dans la rue sous un ciel gris.

Finn l'attend comme convenu aux tourniquets. Il n'a pas apporté son chien, sans doute pour avoir une plus grande liberté de mouvement. Lorsqu'elle lui annonce qu'elle a reçu la lettre, il hoche lentement la tête.

— Tu es sûre que c'est la même ?

— Oui. Papier ordinaire, double interligne, Times New Roman et avec le soleil noir en bas de page.

— Bon, ne paniquons pas. Chose certaine, il ne faut pas la déchirer. Nous pourrions la montrer à la police.

— Oui, mais il faut d'abord en envoyer six exemplaires. Ne prenons pas de risques.

— Tu as une idée de destinataires possibles ?

— On peut en glisser dans les boîtes d'étudiants du second cycle.

— Tu me montreras où. Je le ferai. Ton rôle à toi est de rencontrer la docteure Samson. Quel nom ! Sans son...

— Un nom qui commence par le S de la saturation et qui a au milieu le M du satanisme.

— Est-elle riche ?

— Sans doute. Elle porte des vêtements chers. Elle a l'aisance des gens qui ont de l'argent.

Ils se rendent à la bibliothèque, où ils font des copies de la lettre. Puis Marie-Christine guide Finn vers la réception.

— Bon, je vais distribuer les lettres. Je t'attendrai au sous-sol devant la librairie.

Toujours ces méandres, toujours cette impression de se perdre avec, en main, un fil imaginaire pour la guider vers la sortie. Il y a tant de similitudes entre l'université et l'hôpital, se dit-elle à nouveau. Toutes ces portes ne semblent mener nulle part.

Elle parvient au bureau de la docteure Samson en craignant de tomber. Elle frappe discrètement à la porte. « Entrez ! » entend-elle. La professeure est devant son ordinateur.

— Nous avions rendez-vous ? dit la docteure, qui a l'air harassée.

— Non, mais j'ai écrit autre chose.

— Alors, laissez-moi votre texte.

— Je me suis posé des questions sur cette histoire de tabou de l'homosexualité. Pourquoi Sarrasine a-t-il tant besoin que la Zambinella soit une femme ? Sa passion est factice : il veut avant tout jouer un rôle. Cette histoire est une histoire de *coming-out* raté. Sarrasine était un fétichiste. Et si la Vénus à la fourrure avait été un castrat, Sacher-Masoch l'aurait-il adulée ? Moi je crois que oui.

En pensée, elle biffe un autre commentaire : et si Sy était un vrai fou, le désirerait-elle ? Au fond, elle rêve d'un amour chaste. Elle en oublie le paradigme du sexe.

Elle revient à elle. Elle est en mission, après tout.

— Au fait, avez-vous fait lire mon mémoire à quelqu'un d'autre ?

— Oui, en effet. Je l'ai passé à deux étudiants au doctorat ainsi qu'à Zoé Leblanc, que vous connaissez, je crois.

Marie-Christine avale sa salive.

— Ces lectrices ont-elles aimé mes écrits ?

— Il y a un homme. Il s'appelle Paul Papin. Il suit un cours à l'UQAM, même s'il termine sa thèse à Concordia. Il fait des études interdisciplinaires. Je l'ai choisi comme lecteur parce qu'il écrit avec beaucoup de style.

Paul. Marie-Christine l'avait presque oublié. Elle regrette cette aventure.

— Continuez votre bon travail, lance la docteure Samson. N'oubliez pas que le structuralisme est un peu dépassé. Il faut faire une analyse plus contemporaine.

— Oui, je n'ai pas la plume de Barthes. Mais rien ne vaut une bonne explication de texte. Et quel est le nom de l'autre étudiante qui a lu mon analyse ?

— Elle s'appelle Sophie. Sophie Watteau. Elle travaille les modalités du verbe « être » chez Proust.

— Ambitieux.

— Mais elle a su rétrécir son champ d'exploration. Le résultat est véritablement intéressant.

— Bien, merci. Je vais y aller. Nous nous reverrons à notre rendez-vous habituel.

— Oui, bien sûr, dit la docteure Samson en souriant, un sourire éclatant, avec des dents peut-être blanchies chez un dentiste.

Marie-Christine détourne la tête. C'est la première fois qu'elle voit la professeure vraiment sourire. D'habitude, elle est grave, voire crispée.

Elle se précipite dans le couloir et réussit à retrouver Finn. Il a l'air préoccupé. Elle lui trouve une finesse presque accablante : nez droit, menton découpé, yeux allongés. Lorsqu'il la voit, il s'approche d'elle à grands pas.

— C'est fait. J'ai distribué les lettres.

— Et moi, j'ai appris des choses. Trois étudiants ont eu l'occasion de lire mon texte. J'en connais deux. Mais la troisième se nomme Sophie, comme dans le texte.

— Drôle de coïncidence.

— En effet.

— Donc quatre personnes en plus de nous connaissent le personnage de Franken.

— C'est exact.

— On n'a qu'une chose à faire : les rencontrer. Tu sais où les trouver ?

— Oui, je connais Zoé, mais je ne savais pas qu'elle était entrée dans les bonnes grâces de la docteure Samson.

— Organise un rendez-vous. Je t'accompagnerai.

— Elle aime les bars et les boîtes de nuit. Elle a une existence peu régulière : elle veut faire comme Nelly Arcan.

— Cette écrivaine qui se prostituait et qui s'est suicidée ?

— Oui, c'est ça.

— Et imagines-tu cette Zoé en train de découper un abdomen ?

— Non. De plus, elle ne pouvait pas connaître Prométhée. Je ne lui ai jamais parlé des Illuminaires.

— Mais nous n'avons rien à perdre. Organisons un rendez-vous.

C'est à ce moment que Marie-Christine entend à nouveau la voix de S. « Suis Finn », dit-elle.

Elle relève la tête.

— Et comment se fait-il que tu parles si bien le français ?

— Comme tu le sais, je me suis installé à Montréal à l'âge de dix-neuf ans. Vois-tu, à l'adolescence, on m'a découvert un quotient intellectuel de génie. Mais je ne crois pas à ces balivernes. Je viens du froid. Il faut de la logique pour survivre dans un pays désertique. Et je suis heureux de travailler comme livreur. J'ai besoin de me sentir libre. Je ne suis pas une personne pratique.

— Moi non plus, je ne suis pas pratique, dit Marie-Christine.

— Bon. On va appeler cette Zoé d'une cabine téléphonique.

— C'est une idée.

Ils sortent et trouvent une cabine sur la rue Sainte-Catherine. Marie-Christine compose le numéro en hésitant. Et si Zoé était coupable ?

— Allo, lance Zoé.

— C'est moi.

Marie-Christine parle de son mémoire.

— Oui, j'en ai lu une bonne partie. Je travaille parfois pour la docteure Samson. Ce que tu as écrit est intéressant.

— Et si nous nous rencontrions pour prendre un verre ? Nous pourrions en parler.

— Bonne idée ! Au Saint-Sulpice demain à 20 h.

— J'emmène un ami.

— L'ami ?

— Non, quelqu'un d'autre. Il est norvégien.

— Je ne connais qu'un mot en norvégien : *mour*, ce qui veut dire « maman ».

— Alors, à demain.

— Et mets tes talons hauts ! N'oublie pas : la femme qui a mal est vertueuse.

Marie-Christine raccroche distraitement. Zoé n'avait pas sa voix habituelle.

Finn lui prend le bras.

— Alors, nous la verrons ?

— Oui, demain. Tu connais le Saint-Sulpice ?

— Vaguement.

— Bien. Nous n'avons qu'à nous rencontrer de nouveau aux tourniquets de la station Berri-UQAM vers 19 h 30.

— J'y serai.

Ils se quittent en agitant la main. Marie-Christine redoute la solitude. Elle rêve d'une vie meilleure, mais meilleure comment ? Dans le confort matériel ? Dans la glorification de l'amour ? (REF : l'existence d'une religieuse, se dit-elle.)

Ce faisant, elle marche avec difficulté même si elle porte des talons plats. Elle a l'impression d'avancer dans une vague. Toutes sortes d'images lui viennent à l'esprit : barbelés, corps décharnés, ciel noir. Lorsqu'un klaxon retentit, elle sursaute et se mord la langue. Les passants qu'elle croise ont tous le teint mat. Cet homme en complet ne ressemblerait-il pas à un SS ? Sexe-sexe ? Elle a un nœud dans la gorge lorsqu'elle pense à la lettre de menace qu'elle a reçue. Mais peut-être la laissera-t-on tranquille vu qu'elle l'a photocopiée et distribuée.

Dire que le visage de Prométhée mort était si serein ! Et Prométhée a été tué par Franken. Ici, la fiction empiète sur la réalité.

« Comme nos voix, ba da ba da, da ba da ba da », s'empêche-t-elle de chanter.

Elle a des pensées disparates. Entre autres, elle se dit que le mot « chose » a un s que l'on prononce comme un z. Est-ce à dire que les choses mutilent qui les possède ? se demande-t-elle.

Elle ne veut plus de choses. Elle désire vivre dans la simplicité, comme Prométhée.

Voilà que le Grand Zorg apparaît enfin devant elle : il flotte au niveau de ses yeux.

— Dis-moi, qui a fait ça ! crie-t-elle.

— À toi de trouver, répond-il avant de s'évanouir dans la nuit.

Elle est plus déterminée que jamais à démasquer l'assassin.

LA FÊTE GALANTE

FINN EST LÀ. Marie-Christine a obéi à Zoé et elle a enfilé, un peu contre son gré, les bottes à talons hauts. Elle s'est aussi maquillée. Finn accueille cette coquetterie avec un flegme paternel.

Ils rejoignent la rue Saint-Denis. Avec lui, elle est en sécurité.

Voix, tintements de verres, musique endiablée : voilà le monde de Zoé, qui est aussi celui de Sy. Zoé est installée au comptoir, vêtue comme d'habitude de façon provocante. Lorsqu'elle les voit, elle sourit, un sourire fatigué de femme qui s'est lassée de son rôle.

— Je te présente Finn, réussit à dire Marie-Christine.

Ils s'assoient dans un coin plus tranquille et Finn, dont Marie-Christine envie la souplesse, commande des Bloody Mary avec l'air de s'amuser.

Elle commence à parler.

— Eh bien voilà ! Un de nos amis a été assassiné. Et nous pensons que le meurtrier ne peut être que quelqu'un qui a lu les textes que j'ai remis à la docteure Samson.

Zoé a pâli. Elle se balance légèrement, comme une femme assise sur une balançoire accrochée à la Lune.

— Oui, c'était ton analyse structuraliste d'une nouvelle. La nouvelle était macabre. Tu sais que j'ai horreur de la violence.

Ici Finn intervient. Dans la pénombre, il a une peau de glace. Marie-Christine ne peut que le replacer dans un décor de neige.

— Mais tu n'es pas la seule à avoir pris connaissance de ce texte. Il y aurait aussi eu Paul Papin et une certaine Sophie Watteau.

— Quelle coïncidence, dit cauteleusement Zoé. Nous nous connaissons tous. Sophie a été mannequin, mais ce métier l'a vite dégoûtée. Elle est maintenant une féministe endurcie. Et Paul... Marie-Christine connaît Paul. D'ailleurs, il est ici ce soir.

— As-tu été en contact avec cette Sophie récemment ?

— Non. Mais qui était cet homme qui a été assassiné ?

— On le surnommait Prométhée. Et quelqu'un lui a enlevé le foie, révèle Marie-Christine.

— La personne qui a fait ça fait sans doute une fixation morbide sur la mythologie. Quelle mise en scène atroce ! Il n'était pas enchaîné, au moins ?

— Si, justement, réplique doucement Finn. Mais notre Prométhée, lui, n'était pas un dieu.

— Il se passe de drôles de choses, dit Zoé en caressant nerveusement sa chevelure oxydée. Hier, des étudiants ont reçu dans leur case une lettre de menace. Vous savez, une de ces lettres qu'il faut envoyer à d'autres afin de ne pas briser une chaîne. La personne qui les a distribuées devait elle-même avoir peur.

— C'est moi, Zoé, dit platement Marie-Christine.

Zoé a l'air pensive.

— Je m'en doutais un peu. Tu as de la malchance, en général.

— Prométhée avait reçu la même lettre. Nous pensons, à cause du dessin, ce petit soleil noir, que nous avons affaire à une secte.

— Et que dit la police ?

— Je suis certain qu'ils sont moins avancés que nous, raisonne Finn. De toute manière, ils vont vite en faire une affaire classée. Prométhée était pauvre, il ne fréquentait que nous et certains prétendent qu'il était schizophrène. Il allumait souvent un briquet en prétendant qu'il donnait le feu aux humains.

— Donc il connaissait la mythologie.

— Sans doute, mais il parlait peu. Il ne buvait que de l'eau et ne mangeait que des yaourts, comme Temple Grandin.

Zoé relève la tête.

— Moi, je crois à un trafic d'organes. Peut-être qu'une personne très riche a payé pour avoir un nouveau foie. Et ce Prométhée, s'il était pauvre, était la cible parfaite.

— C'est la thèse de la police, dit Finn avec un air impénétrable, mais le meurtrier a laissé sa signature.

— Laquelle ? demande Zoé, visiblement apeurée.

— Franken, comme le photographe de la nouvelle que j'ai commencé à analyser, lance Marie-Christine.

— Mais on est peut-être plusieurs à avoir lu la nouvelle, argue Zoé.

— Personne, en dehors de moi et de l'auteure, M. Shelley. Mais maintenant, il y a trois étudiants et un professeur.

— Dont moi, conclut Zoé en toussotant.

— Oui, dit Finn avec simplicité.

Au même moment, Paul apparaît, vêtu d'un jeans moulant et d'un tee-shirt trop court. Il est accompagné de Fritz Tür. Fritz, tu te dépasses, pense Marie-Christine. Elle se souvient du corps de Paul nu : d'une perfection abjecte, ciselé comme une pièce d'orfèvrerie. Parions que Paul gagne beaucoup d'argent en travaillant comme mannequin. Il n'a sans doute jamais rencontré un Franken. Tout semble lui sourire. Même s'il a un sexe, il a la féminité d'un castrat.

— Bonsoir, dit Paul, mielleux.

Finn regarde Marie-Christine et semble tout deviner. Il sourit. Il en oublie sa mission de détective.

Fritz a passé la main autour de la taille de Paul.

— Tiens, celle qui fait des sorties remarquées, lance-t-il en regardant ironiquement Marie-Christine.

— Mais elle écrit des choses intéressantes, continue Paul. J'ai lu son analyse à la Barthes d'une nouvelle d'un illustre inconnu. J'ai bien aimé cette histoire qui parle de la mode. Oui, les mannequins font un drôle de travail.

— Travail ? dit Finn avec une candeur calculée.

— Oui, tout ce qui se paie est travail, rétorque Fritz.

— Il est vrai que le rapport entre un artiste et son modèle est parfois litigieux, explique Paul. Mais ce qu'on aime, étrangement, c'est un regard intelligent. Oui, cela paie bien. Ce qui me fait gagner ma vie, c'est l'imposture, mais une imposture calibrée. Car le client veut du rêve.

— Soit belle et tais-toi, dit Finn.

— Certes. Mais il s'agit d'un silence plein de désir. La parole, impunie, est dangereuse.

— Pourtant, le désir s'exprime souvent par la parole, continue Finn, qui se penche vers Marie-Christine pour lui dire : « Tu as baisé ça ? »

— Oui, murmure-t-elle, mais c'était en quelque sorte une expérience scientifique qui m'a permis d'effacer des souvenirs.

Paul et Fritz, toujours souriants, boivent ce qui ressemble à de l'alcool pur. Zoé a le visage crispé.

— Paul, tu te souviens du nom du photographe dans la nouvelle ? demande-t-elle après avoir pris une gorgée de bière.

— Non. Ça m'échappe.

— Ah bon.

Elle se tourne vers Marie-Christine et dit en baissant la voix :

— Ce ne peut pas être lui. Il se suffit à lui-même et il abhorre la violence. Il serait plutôt de la caste des victimes. Regarde-le : il ne sait pas choisir entre un homme et une femme. Je te le dis : il se croit pur. Et jamais il n'aurait volé le foie de ce Prométhée.

— Tu as peut-être raison, concède Marie-Christine.

Paul est un NaZ, songe-t-elle, mais il est inoffensif. Sa perversité tient à cette tendance à se pavaner.

Entre-temps, Finn boit un deuxième verre avec son air imperturbable. Ses mains, qui savent caresser des chats, glissent avec élégance sur le verre. Il se penche vers Marie-Christine et dit :

— Il faudra rencontrer cette Sophie.

— Oui. Peut-être a-t-elle cherché à se venger du mal qu'on lui a fait lorsqu'elle était mannequin.

— Elle en voudrait à tous les hommes.

— Sait-on jamais.

Marie-Christine se tourne vers Zoé.

— Il faudrait entrer en contact avec Sophie Watteau.

Zoé, visiblement dépassée par les événements, boit une gorgée de son verre. Puis elle déclare :

— Je peux arranger ça. Mais Sophie mène maintenant une existence de nonne. Il faudrait se rencontrer dans un endroit très tranquille.

— Téléphone-moi pour me dire ce qu'il en est. Il faut faire vite. Le crime est encore chaud.

— Mais je doute que ce soit elle. Ce serait absurde. Tu comprendras lorsque tu la verras.

Marie-Christine se lève pour clore l'entretien. Elle n'a pas touché à son verre. La présence de Fritz lui rappelle cette soirée où elle a cru mourir. Finn, quant à lui, boit d'un trait son Bloody Mary et déclare :

— Nous attendons de tes nouvelles, Zoé. N'oublie pas : un assassin est en liberté. Et il a signé son crime d'un nom que seules quelques personnes peuvent connaître.

— Mais si c'était une coïncidence.

— J'en doute fort. Franken n'est pas un nom habituel.

Zoé fronce les sourcils. Elle a tout à coup l'allure d'une courtisane usée.

— À plus, lance Marie-Christine, qui supporte mal l'ambiance survoltée de ce bar branché.

Une fois dehors, Finn résume la situation.

— Donc nous avons ton analyse de la nouvelle de M. Shelley. Seulement quatre autres personnes l'ont lue. M. Shelley affirme qu'elle n'a montré sa nouvelle qu'à toi. Cela restreint notre champ d'action. Et il y a la lettre que tu as reçue.

— Ce sont les NaZ. Le Grand Zorg m'a bien avertie d'un danger.

— Bien. Ne perdons pas les pédales. Je suis encore persuadé que ce crime peut s'expliquer. Te sens-tu en sécurité chez toi ?

— Je ne sais pas. Je crois que ça ira.

— Tiens, je vais te raccompagner.

— C'est assez loin.

— Prenons un taxi.

Dans le taxi, Finn demeure silencieux, visiblement perdu dans ses réflexions. Elle regarde le paysage défiler : elle ne reconnaît plus rien. Lorsqu'ils s'arrêtent devant son immeuble, elle s'empêche de crier « non, je ne peux pas ».

— Rendez-vous demain à La Croissanterie, dit Finn.

Elle marche en chancelant. Dans son courrier, elle trouve une autre carte postale.

Elle referme la porte précipitamment. Elle se doute bien que l'étrangeté va aller croissant. Derrière la photographie de l'Opéra, il est écrit : « Je t'aime. Ta mère. »

Elle se précipite vers le miroir qu'elle imagine sans fond. Les petits personnages sont là. Ses cheveux teints en noir ont déjà des reflets cuivrés Avec cette coiffure, elle ressemble encore moins à sa mère. Mais on lui a souvent dit qu'elle avait le front haut de son père. Mince concordance, il va de soi. Elle pense aux photographies d'enfants. À l'époque, déposait-on encore des nourrissons dans des couffins devant la porte des églises ? Mais qui s'amuse à personnifier sa mère ? La mort est un événement absolu : le corps se dissémine. En mourant, croit-elle, on disparaît pour de bon.

Le Grand Zorg flotte toujours devant la fenêtre.

— Mais qu'est-ce que l'existence ? demande-t-elle en criant presque.

Il n'y a que le silence.

Elle examine la carte postale. Cette calligraphie soigneuse ressemble en effet à l'écriture de sa mère. Les esprits existent-ils ? Marie-Christine est persuadée que quelqu'un cherche à la confondre. Mais pourquoi ?

Elle griffonne la phrase suivante : « La folie est le début du non-être. Seul le fantasme est vrai. Je suis devenue une folle qui raisonne sa folie, tout comme Sarrasine intellectualise sa passion pour un homme-femme. » (REF : le vertige existentiel.)

L'ANALYSE DE MARIE-CHRISTINE SE PERD : LA PASSION

ELLE ÉCRIT :

« J'aime Sy au point où je ne sens plus rien.
Ma passion est comme un cercle.
Et le cercle n'a ni début ni fin. »

« Sy séduit tant les hommes que les femmes. Comme la Zambinella, il a la fluidité d'une femme. Son sexe demeure un mystère. Pourtant mon désir pour lui continue de me sidérer : je suis devenue une femme inerte. »

« Dans tout ça, n'oublions pas Franken, qui s'est échappé de la nouvelle de M. Shelley afin d'assassiner Prométhée. Franken a le savoir-faire des embaumeurs. Il immortalise ses victimes. Son rôle est de punir l'innocence. »

« Prométhée détenait-il le feu ? »

« L'image n'est que trahison : elle dément l'expérience vivante et fluide de l'observation. Est-il possible de créer une image idéale ? Je ne le crois pas. »

« On dévore la beauté comme on se gave de mots. »

« Sy est la Belle au bois dormant. Je suis le prince. Mais je repousse de toutes mes forces le plaisir. »

« Je suis réduite à vivre une passion qui est avant tout dissipation. Je rêve pourtant de donner à Sy le baiser qui le ramènera au monde. Mais il n'a que faire de moi, car il est parfait, comme une œuvre d'art portée à maturité. Sy est une fiction. »

« Il faut respecter la frontière entre la fiction et la réalité. Pourtant, j'ai transgressé cette règle. Comme Sophie dans l'ascenseur, je suis devenue une prisonnière. Et j'entrevois ma mort. Peut-être aurais-je préféré être tuée par Franken. J'ai cherché à devenir une image moi aussi : voilà mon erreur. »

« Sy est protégé, mais par quoi ? Un dieu ? Une fée ? Finn a raison : il ne peut que m'abîmer. À son contact, je rejette la jouissance : je suis redevenue une enfant. »

En exergue : « Mais qui a fait ça à Prométhée ? »

L'ENQUÊTE SE POURSUIT

EN VOYANT SY À LA CROISSANTERIE, elle ressent la même accélération. Finn l'attire vers le banc. Elle toussote. Elle s'avoue qu'il lui plaît de sentir sur elle le regard amène et parental de Finn. Tous les Illuminaires sont là. Blue, la voix chevrotante, leur relate son interrogatoire par la police. Prométhée l'avait désignée comme plus proche parent.

— Prométhée était orphelin. Il a été trimballé de maison d'accueil en maison d'accueil. Il a eu une vie difficile.

— La police a-t-elle avancé dans l'enquête ? demande Finn.

— Non. Ils disent qu'ils n'ont jamais vu ça. Ils croient que le meurtrier est un sadique. Ils sont presque certains qu'il s'agit d'un homme, vu la violence du crime.

Finn se racle la gorge.

— Eh bien, Marie-Christine et moi nous n'avons pas chômé. Nous savons qu'il y a quatre personnes en dehors de nous qui connaissent l'existence du personnage de Franken.

M. Shelley, après avoir pris une gorgée de café, se redresse.

— Mais Franken n'est inspiré d'aucun personnage ayant existé, proteste-t-elle. J'ai voulu parler de la dictature de la beauté. Vous savez, j'ai subi tant de résistance dans la vie du fait de ma corpulence et de la couleur de ma peau. Quand j'ai perdu mon travail chez Garda, j'ai voulu me venger en écrivant.

— Et écris-tu autre chose ? demande Finn.

— J'ai une idée. Mais j'attends.

— N'écris pas ! Tes personnages semblent se matérialiser !

— Mais c'est plus fort que moi, proteste M. Shelley.

— Bon. L'enquête avance quand même. Nous devons rencontrer une certaine Sophie, lance Finn.

— Comme la Sophie de ma nouvelle ?

— Peut-être bien.

À ce moment, Blue éclate en sanglots.

— Mais j'aurais dû prédire la mort de Prométhée. Je n'ai pourtant vu que le Monde. Je n'ai pas vu la Mort. Peut-être que je ne vaux plus rien comme voyante. Et est-ce Dieu que je vois ? Je suis peut-être une détraquée.

— Nous voyons Dieu, il n'y a pas de doute, la console Sy.

— Et tu ne voulais pour nous que du bonheur, ajoute Finn.

— Nous vivons une expérience sacrée, dit M. Shelley.

Marie-Christine se tourne vers Sy. Il a des yeux encore plus métalliques, avec des pupilles en tête d'épingle. Sa peau évoque le satin. Sa chevelure moirée est parcourue d'éclairs bleus. (REF : Surnaturel, pense-t-elle.)

— La raison détruit la beauté, dit Blue avant de se moucher bruyamment.

Marie-Christine regarde les lèvres idéales de Sy. Elle rêve d'un baiser. Mais elle a si froid qu'elle en oublie l'existence de son sexe.

Elle dit d'une voix égale :

— J'ai reçu la même lettre que Prométhée. Finn et moi l'avons distribuée à six personnes. Je vous avoue que je suis inquiète. Et qui plus est, on me harcèle. Quelqu'un me téléphone et m'envoie des cartes postales en prétendant être ma mère. Mais ma mère est morte il y a dix ans.

— Tout ça est trop fou, hoquette Blue.

— Fais attention, dit Sy avant d'aller servir d'autres clients.

— Mais pourquoi te ferait-on ce coup ? demande M. Shelley qui a les sourcils si froncés que son visage semble se tordre.

— Je ne sais pas. Mon Grand Zorg a parlé des NaZ. Il a dit que les Judéioformes sont en danger.

— Des sortes de Juifs ?

— Oui, sans doute.

— Tout cela est si sinistre. Je me sens responsable. C'est moi, après tout, qui ai créé cette nouvelle. Mais je ne peux que continuer à écrire, murmure M. Shelley.

Ici, Finn intervient.

— Gardons notre sang-froid. Selon moi, il n'y a qu'une seule solution : inviter tous ceux qui ont lu le mémoire de Marie-Christine à un party chez Sy. Nous pourrons ainsi mieux les observer. Mais Marie-Christine et moi devons d'abord nous entretenir avec cette Sophie Watteau. Continuons à fonctionner en équipe.

Il interpelle Sy.

— Tu peux organiser un party chez toi vendredi ?

Sy a un sourire complice. Non, ne souris pas, mon amour, car je risque de me liquéfier, songe Marie-Christine.

— Oui, sans problème. Le vin et la cocaïne rendent les gens plus volubiles.

Finn se lève énergiquement et s'adresse à Marie-Christine.

— Nous devrions rencontrer Sophie dès que possible. Je viendrai avec Confucius. Cela mettra peut-être tout le monde en confiance. Je suis sûr que nous allons découvrir la vérité.

— Je l'espère, dit Marie-Christine, qui ne veut pas avouer qu'elle est terrifiée.

SOPHIE, Ô SOPHIE, TU ES SI PÂLE !

CE MATIN, SON PÈRE TÉLÉPHONE une fois de plus, ce qui la surprend, vu qu'en général il l'ignore.

— Si ta mère était vivante, elle serait sans doute de ton côté. Elle valorisait tellement les études.

Ce compliment détourné suscite beaucoup de malaise chez Marie-Christine. Elle a l'habitude que son père crache des épines. Mais il rompt le charme en ajoutant :

— Tu es bien sûre que tu es saine d'esprit ?

Et la conversation se termine sur cette note désagréable.

Elle s'approche du Grand Zorg et tente de caresser sa barbe blanche. Mais son index traverse l'image.

Elle croise Rob dans le vestibule. Ses yeux bleus, rapetissés par des verres épais, ont un éclat minéral. Oui, des yeux de voyeur, croit-elle. Il la décortique, il l'analyse, il la met à nu. Et si Rob avait en effet le pouvoir de traverser les miroirs ? S'il l'espionnait ? Elle le salue en s'en voulant de sourire et elle sort. Dans la rue, la grisaille donne aux visages un aspect cireux. Elle marche en ne pouvant s'empêcher de penser aux lettres et aux noms. S, saturation. S qui devient Z, Z, castration. S/Z, annulation de l'amour. M, mal. W, M inversé. N, négature. Sy, le S fait homme. Sophie Watteau, un agent de l'indifférence. K, la coupure. Sophie et Franken, la belle et la bête. Franken, le tueur. S, sexe. Y, l'homme qui s'ignore. MC : ses initiales. Elle a le mal dans son nom.

Finn l'attend devant le Commensal en tenant le panier contenant Confucius. Sophie a accepté de les rencontrer. Zoé a bien précisé qu'il faudrait un endroit calme. De plus, Sophie, semble-t-il, abhorre la viande.

— Asseyons-nous au fond, sous cette plante tombante, suggère Finn.

Ils attendent en buvant du café. Puis Zoé entre en compagnie d'une très grande fille filiforme aux cheveux bruns, au teint si blafard qu'il en devient verdâtre sous l'éclairage blanc, et aux traits réguliers. Voilà Sophie, elle est exactement comme je l'imaginais, se dit Marie-Christine en retenant son souffle.

— Oh, un petit chien ! dit Sophie Watteau en lui caressant la tête.

Finn avait raison : Confucius a un pouvoir unificateur.

Sophie s'assied en croisant ses longues jambes. Marie-Christine remarque ses mains élégantes. Zoé, qui vient sans doute de se faire une ligne, semble agitée. Marie-Christine comprend la situation : elle fait face à deux homosexuelles. (REF : déviance, pense-t-elle.) C'est Finn qui entame la conversation.

— Nous voulions vous rencontrer parce que vous avez lu une partie du mémoire de Marie-Christine.

Même en faisant face aux gens, Sophie semble les regarder de biais.

— Ah oui. La docteure Samson me paie pour que je donne mon avis sur des dissertations de ses étudiants. Oui, j'ai bien lu ces pages avec attention. Et croyez-le ou non : la Sophie de la nouvelle, c'est moi. J'ai en effet été mannequin à l'adolescence, un peu par hasard. J'ai la taille qu'il faut. Et comme Sophie, je subissais mon métier. Toutes ces journées à avoir faim ! Et un photographe m'a persécutée. En réalité, il est passé très près de me violer. Oui, il me demandait d'ouvrir stupidement la bouche. Et il m'a déclaré un amour absolu. J'avais seize ans. Quand je lui ai résisté, il m'a pourchassée dans son studio. Je me suis enfermée dans un placard. J'étais plus affolée que la Cécile des *Liaisons dangereuses* ! Heureusement, une assistante est arrivée et j'ai été libérée. Bref, j'ai fait ce métier, si on peut appeler métier ce vol systématique de l'âme. Et j'ai tout arrêté à l'âge de dix-neuf ans. Je me suis alors lancée dans les études. J'ai d'ailleurs bien aimé votre analyse, mais il vous manque peut-être un peu de culture. Il est vrai que Barthes est un monstre de savoir.

— Un monstre, tout comme le Franken de la nouvelle, remarque Finn, qui tente de toute évidence de faire parler Sophie.

— Oui, le personnage du photographe. Très près de la réalité, je vous assure. Ils se prennent pour des artistes. Il y a tant de prétention dans ce milieu ! lance Sophie en faisant une moue de dédain.

Zoé relève la tête. De la dentelle transparaît sous sa chemise. Parions que ses clients en font sauter les boutons avec un canif, se dit Marie-Christine.

— Ce qu'ils ne disent pas, Sophie, c'est qu'un de leurs amis a été assassiné. Et le meurtrier a signé son crime du nom de Franken.

— Quelle histoire incroyable, dit Sophie sans émotion.

Marie-Christine a d'autres questions qui la taraudent.

— Et comment avez-vous fait pour vivre avec ce nom de famille mythique ? Avez-vous un lien avec l'artiste de ce nom ?

— Ma famille veut croire que oui. J'ai en effet un talent d'artiste. Mes mains sont infaillibles. On m'a dit que je faisais de très beaux portraits. J'ai la touche légère. Mais j'ai choisi la littérature parce que lire constitue une forme d'évasion. Et étudier Proust me fait oublier les contingences de l'existence.

Pompeux, se dit Marie-Christine. Si Sophie avait des nattes, elle les tirerait.

— Vous connaissez Paul Papin ? demande Finn en souriant.

— Oui, nous avons suivi ensemble un séminaire de doctorat. Il est fou de faire le mannequin. Mais pour les hommes, ce n'est pas la même chose.

— Que voulez-vous dire ? demande Finn.

— Les hommes ont la société pour eux. Les femmes doivent encore se battre pour se tailler une place dans le monde. Et être un mannequin est un drame pour une femme, mais un exploit pour un homme.

Zoé intervient.

— Oui, Sophie a fait un vœu de célibat.

Pour la première fois, Sophie semble déstabilisée.

— Je suis une religieuse sans religion.

Finn est de nouveau impassible. Il émane de lui une vibration, comme si son corps chantait.

— Mais revenons à nos moutons. Nous sommes ici parce qu'un de nos amis a été assassiné. Et le meurtrier a laissé sur le corps une note signée « Franken », comme le photographe de la nouvelle. Tout semble indiquer que le meurtrier avait lu le texte de Marie-Christine.

— Vous sous-entendez que Zoé ou moi sommes des meurtrières ? Mais voyons, tout cela n'est sans doute qu'une coïncidence ! Vous ne pouvez pas soupçonner ceux qui ont lu les pages de Marie-Christine. Nous sommes tous des universitaires pacifiques. J'ai toutefois trouvé l'analyse trop abstraite, mais cette nouvelle, j'en conviens, a quelque chose de spécial.

— Elle vous semble vraie ?

— Oui, sans aucun doute. Moderne, concise, mais qui ne va pas intéresser n'importe qui. Et comme je l'ai dit, elle dépeint mon expérience.

Sophie boit une infusion du bout des lèvres. Sa posture affectée agace Marie-Christine. Sophie cache quelque chose, elle en est certaine. Cette sylphide aux yeux limpides serait-elle capable de tuer quelqu'un ? Peu probable. Pour la faire encore parler, Marie-Christine demande :

— Alors, vous travaillez Proust ?

Le visage de Sophie s'illumine.

— Oui. C'est très complexe, mais cela me convient. Je n'y arriverais pas seule. Kathy Samson m'est d'une aide inestimable. C'est le meilleur professeur que j'aie eu. Vous avez de la chance de l'avoir comme directrice.

— Elle a un esprit cartésien.

— Avez-vous lu certains de ses articles ?

— Sur Barthes seulement.

— Elle a aussi écrit sur le lien entre la mythologie grecque et la vie de tous les jours. Son livre s'intitule *Comment retrouver Perséphone.*

— C'est étrange, elle ne m'en a jamais parlé.

— Elle est très modeste. Elle a écrit ce livre alors qu'elle n'avait que vingt-cinq ans.

Zoé intervient de nouveau.

— Oui, j'en ai entendu parler. Elle dit, entre autres, que Déméter est en réalité plus forte que Zeus ou quelque chose de ce genre.

Marie-Christine ressent un malaise. Finn s'est déjà levé pour clore l'entretien.

— Un de nos amis fait un party vendredi. Vous êtes invitées. Il y aura du jazz. Ce sera agréable.

Sophie secoue la tête.

— Je ne peux pas.

— Oh, pour une fois ! Tu dois aussi t'amuser un peu, l'encourage Zoé.

— Paul va sans doute être là, dit Marie-Christine.

— Oui, nous voulons réunir tous ceux qui ont lu la nouvelle de M. Shelley. Ce sera peut-être un moyen d'y voir plus clair, explique Finn.

— Je doute que cela porte ses fruits. Mais pourquoi pas. Bon, je serai là. Il faudrait aussi inviter Kathy Samson, dit enfin Sophie.

— Je n'ose pas, avoue Marie-Christine.

— Moi je vais le faire, lance Zoé. Elle aime se mêler à ses étudiants. Elle est très moderne.

Confucius a sorti la tête du sac. Finn le caresse distraitement.

— Bon, nous devons y aller, lance-t-il.

Une fois dehors, Marie-Christine et Finn s'allument des cigarettes.

— Il y a anguille sous roche. Je n'ai pas les cellules grises d'Hercule Poirot, mais mon petit doigt me dit que cette Sophie n'est pas aussi pure qu'elle le prétend. Allons à La Croissanterie en discuter avec les autres.

— Oui, cette Sophie a un comportement ambigu, convient Marie-Christine.

La ville est triste. Marie-Christine est toujours convaincue que le monde subit une mutation violente. Elle se méfie de tous les passants. La présence de Finn la rassure. Mais elle ne peut que penser à des corps entassés dans les charniers.

Elle entend la voix de S. « Tu commences à comprendre », dit-elle.

Comprendre quoi ? se demande-t-elle. Comprendre que la passion de Sarrasine est sans issue, que la sainteté est un feu qui nous brûle, que la pensée est un outil quelquefois imparfait, qu'on n'est en sécurité nulle part, que le structuralisme ne peut que se refermer sur lui-même, que les talons hauts abîment les pieds, que la sagesse ressemble à un accordéon qui se déplie et se replie, que la femme est un homme qui imite une femme, que le Grand Zorg s'incarne pour elle seule, que les fous voient de belles choses. Son dos est moite. Elle jette un coup d'œil à Finn : il a encore un angelot bleu assis sur son épaule. Elle réprime un sanglot. Vogue-t-elle dans le monde des cieux ?

Au café, ils sont tous là. Blue prend la parole.

— Je suis allée au poste de police. J'ai tout avoué. J'ai parlé des Illuminaires, des lettres avec le sigle du soleil noir, du personnage de Franken. Ils m'ont à peine écoutée. Ils ont répété que c'était sans doute l'œuvre d'un fou.

— Ils ont écarté la possibilité d'un trafic d'organes ? dit Finn.

— Moi je crois qu'ils ont de toute manière abandonné l'enquête, lance Sy.

Non, ne t'approche pas de moi ! voudrait dire Marie-Christine à Sy.

— Nous avons parlé à la fameuse Sophie. Elle a accepté de venir au party. Une femme impénétrable, cette Sophie. Marie-Christine et moi avons l'intuition qu'elle cache des choses, explique Finn.

— Il n'y a qu'une chose à faire. Il faut tirer une carte de tarot. Et cette carte illustrera notre destin, dit M. Shelley en se tournant vers Blue.

Blue réprime des larmes. Elle brasse les cartes. Puis elle en choisit une au hasard.

— C'est *The fool*. Le Fou, le mystique, déclare Blue avec un soulagement évident.

— Oui, c'est aussi la carte des grands débuts, ajoute M. Shelley.

— Bien, c'est bon signe, dit Marie-Christine.

M. Shelley, qui a l'air de se sentir coupable, se tourne vers Marie-Christine.

— Je l'avoue : j'ai commencé à écrire une autre nouvelle.

— Sur quoi ? demande Blue en tirant nerveusement sur son collier.

— Sur une Juive qui se retrouve dans un camp de concentration.

— Et a-t-elle un nom ?

— Oui. Marie-Christine.

— Il faut arrêter de l'écrire, dit Finn.

— Et que dis-tu jusqu'à maintenant ? demande Marie-Christine.

— Qu'elle voit Dieu et qu'on la persécute en faisant d'elle une illuminée.

La curiosité de Marie-Christine est piquée.

— Eh bien, je vais vous étonner, dit-elle. Je veux que M. Shelley termine sa nouvelle. On verra bien. J'accepte de devenir un personnage de fiction.

— Tu en es sûre ? demande Finn.

— Oui. M. Shelley n'a qu'à inventer une belle fin.

Un sourire illumine le visage de M. Shelley.

— Vous ne serez pas déçus. Je peux déjà annoncer que Marie-Christine survivra.

Sy enlève son tablier et s'assied près de Blue.

— Écrire, c'est inventer la vie. Écrire est un geste sacré, dit-il.

Marie-Christine le regarde, le souffle coupé. « *Wild is the wind* », chante-t-elle intérieurement. Au contact de Sy, elle a l'impression d'être sous l'influence d'une drogue dure. Peut-être sent-elle ce qu'il sent. Peut-être sont-ils comme des vases communicants. Sy à lui seul sait évoquer des siècles de littérature. Il est ma Zambinella à moi, se dit de nouveau Marie-Christine. Il a le panache des grands personnages. Il la mène sciemment à sa perte et s'il n'y avait pas Finn comme garde-fou, elle mourrait sans doute.

— Vendredi, ce sera une soirée plus suave. J'ai invité un groupe de jazz, les Molestiks. Nous honorerons Prométhée en gardant une chandelle allumée.

Velours de la voix : Sy envoûte qui l'écoute. (SEM : le chant de la sirène, se dit-elle.)

— Bonne idée ! dit Finn. Nous ne savons pas si nos suspects se présenteront. Mais s'ils sont là, on tentera de les mettre à l'aise.

— Moi je pense qu'il faut tout dire de votre enquête à la police, dit M. Shelley.

— Mais que vont-ils faire de nous ? Des paumés ? Et de plus, comment expliquer que la fiction rejoint la réalité ? Comment leur expliquer que M. Shelley a le pouvoir de créer des situations réelles ? lance Blue.

— Il ne faut pas oublier que nous avons des suspects qui connaissent l'existence de Franken, stipule Marie-Christine.

— Moi, je suis pour la police, décrète Finn.

— Nous n'avons rien à perdre. De plus, ils ont été très courtois avec moi, argue Blue.

— Bon, allons-y. C'est tout près. Nous leur montrerons ma lettre. Et je suggère que Finn soit notre porte-parole, dit Marie-Christine.

Tous hochent la tête.

Marie-Christine croit participer à une procession. On marche avec lenteur. Elle se souvient de Prométhée tenant son briquet allumé. Il était si attachant, Prométhée, si magnifiquement sauvage aussi. Quel fou s'est attaqué à lui ?

Au poste de police, Finn demande à voir l'inspecteur.

— C'est à quel sujet ? demande un flic au visage impassible.

— Prométhée.

— Ah oui, vous voulez dire Sean Dragon, celui auquel on a enlevé le foie ?

— Oui, c'est bien ça.

Le flic les invite à prendre un siège. Au bout de quelques minutes paraît un homme corpulent aux yeux trop clairs et ils le suivent jusqu'à son bureau. Finn commence à parler. Il relate tout : la nouvelle de M. Shelley, le mémoire de Marie-Christine, le personnage de Franken, la lettre d'intimidation. Et il conclut en spécifiant que quatre autres suspects auraient lu la nouvelle. L'inspecteur ne bronche pas.

— Intéressant, intéressant. Mais nous croyons qu'il s'agit d'un psychopathe récidiviste. Nous avons eu l'an dernier le cas d'une femme à qui on a arraché les yeux. Pour l'instant, notre enquête va dans ce sens. Mais nous ne sommes sûrs de rien. Voyez, l'assassin a une habileté de chirurgien. Il a peut-être été étudiant en médecine. Il s'agit sans doute d'un homme. Il n'a pas laissé d'empreintes, comme vous le savez. Et la chaîne qui liait les mains et les jambes était une chaîne ordinaire qu'on vend chez Canadian Tire. Je dois avouer que nous n'avançons pas. Mais votre ami n'a pas eu le temps de souffrir. L'autopsie a révélé qu'on l'a assommé avant de le mutiler. Oui, c'est une sale affaire.

— Mais il y avait le billet épinglé à la poitrine de Prométhée, insiste Finn.

— Cela ne nous mène à rien. N'importe qui aurait pu inventer le nom de Franken. Drôle de coïncidence, je l'avoue. Vous pouvez mener votre petite enquête si vous le voulez, mais je vous avertis : nous avons affaire à quelqu'un de brillant. Et votre ami est sans doute mort silencieusement. Oui, c'est atroce.

L'inspecteur se lève pour clore l'entretien. Marie-Christine détourne la tête pour ne pas voir la boursouflure à l'entrejambe. Cet homme a sans doute un prénom biblique, comme Pierre ou Paul. Pourtant, elle ne lui fait pas confiance.

On retourne à La Croissanterie en silence. Blue semble la plus atterrée. Sy remet son tablier vert et sert des cafés à tout le monde. Tu bouges comme si tu nageais, voudrait lui dire Marie-Christine.

— Je ne suis pas fort en psychanalyse, mais l'ablation du foie est tout de même un geste castrateur, avance Finn.

Marie-Christine ne peut s'empêcher de penser que pour Barthes, Z est la lettre de la castration.

— Et le foie est l'organe vital par excellence. En médecine chinoise, c'est le siège des émotions. On n'a pas touché au sexe de Prométhée. On s'est plutôt attaqué à son âme trop pure, déclare Blue.

— Et il est vrai que mon Franken chercher à castrer ses modèles. Il va néanmoins plus loin : il recompose les corps de femmes, ou plutôt de filles, explique M. Shelley.

— Nous ne sommes pas plus avancés, dit Finn l'air las tout à coup.

— Moi je dis qu'on va apprendre quelque chose à ma soirée. Je le répète : du vin, de la coke, beaucoup de blabla, et hop, quelqu'un en dit trop ! affirme Sy.

Finn se lève.

— Bon, on se voit vendredi. Je l'avoue : je suis pessimiste. J'ai besoin de voir mes chats. Viens, Marie-Christine. Je vais te raccompagner jusque chez toi.

Marie-Christine hoche la tête en évitant de regarder Sy. Finn la tire à nouveau du tumulte de l'amour. Elle a la conviction d'échapper à un bonheur trop grand, si grand en réalité qu'il frôle le malheur. Ils marchent sans empressement.

— Pour l'instant, l'humanité me dégoûte. Un tueur sadique et détraqué est en liberté. La police semble ne plus rien faire. Le crime parfait existe-t-il ?

— Moi, j'ai mon idée. Je suis certaine que le tueur a besoin de se vanter de son crime. La mise en scène était trop élaborée. On a peut-être affaire à quelqu'un qui se prend pour Zeus.

— Peux-tu imaginer Paul découpant la chair ? demande Finn d'un ton narquois.

— Oui, Paul. C'était une passade un peu ridicule. Vois-tu, j'ai été avec Marc un bout de temps. Et je l'ai effacé en fréquentant Paul. Mais une voix m'a avertie : Paul est un NaZ. Pourtant je ne crois pas qu'il m'ait envoyé la lettre avec le soleil noir. Il se vautre dans sa beauté et je doute fort qu'il ait pu planifier un meurtre.

— Beauté, c'est vite dit. Il a plutôt un air efféminé.

— Oui, tu as raison. La beauté est un concept passe-partout et une excuse pour bien des excès. Mais tous nos suspects ont un genre, comme on dit : Zoé la pin-up, Sophie la vierge éthérée, Paul le bellâtre et la docteure Samson, la femme flamboyante.

— Et n'oublions pas M. Shelley, celle qui a créé Franken.

— Mais je crois qu'elle est innocente.

— Oui, moi aussi.

— Alors, nous piétinons.

Ils sont arrivés devant l'immeuble de Marie-Christine.

— Tu es sûre que ça ira ? demande Finn.

Elle ne peut que voir les magnifiques yeux en amande de Finn. Elle voudrait qu'il l'adopte. Mais elle est trop vieille pour de nouveaux départs. Trente ans, ce n'est pas rien. Elle n'a comme territoire que cet espace mental qui rétrécit. Résolue, elle salue discrètement Finn.

Elle constate avec soulagement qu'elle n'a pas de courrier. Elle va s'étendre sur son futon. Le Grand Zorg flotte devant elle.

— Si séparé, si succulent, si scindé, dit la voix de S.

Elle s'écrie : « Je ne comprends plus rien ! »

Et une fois de plus, il n'y a que le silence.

Elle se réveille en sursaut. Elle a entendu un cliquetis. La porte s'ouvre. Rob entre. Il est vêtu d'un slip, mais il porte toujours ses lunettes carrées. Il s'avance vers la cuisine. Puis il dit :

— Il y a une fuite d'eau. Et quand l'eau coule, je ne peux pas dormir.

Elle voit sur son réveil qu'il est une heure. Elle s'immobilise. Quelques instants plus tard, Rob sort sans refermer la porte derrière lui. Étonnamment, elle demeure calme. « NaZ, NaZ, NaZ, il faut du vin », dit la voix de S. Il lui reste justement un fond de ce mauvais rouge. Elle se lève enfin et se sert un verre. Elle se poste à la fenêtre en tirant délicatement le rideau. La rue est vide. Mais devant, à une autre fenêtre, elle voit un couple danser corps à corps. Que ne donnerait-elle pas pour enlacer Sy... Elle entend des pas dans le couloir. Rob est peut-être somnambule. Elle va mettre la chaîne. Puis elle s'assied devant son ordinateur et réfléchit.

MARIE-CHRISTINE REPREND SON ANALYSE : LA SAINTE ET LE MONSTRE

ELLE ÉCRIT : « Franken déconstruit les corps. Il s'insurge contre le *What a piece of work is a man* shakespearien. Il veut démontrer que le corps est imparfait. Ses proies – car il est bel et bien un prédateur – sont des jeunes filles naïves, dont Sophie. Et Sophie se prête au jeu de l'éclatement. »

« Prométhée ne ressemblait-il pas à une icône avec son visage docte ? Comme le dieu du même nom, il distribuait le feu aux autres. Et si Franken l'a tué, c'est peut-être pour surpasser Dieu. » Paragraphe à éliminer.

« Non, Dieu ne peut exister. Je ne veux pas. Je ne veux pas. » Éliminer.

« Mais il y a une rupture dans le discours. Le lecteur parvient à la phrase “Mais elle ne se doutait pas que Franken allait devenir fou”. On crée le suspense. On comprend que quelque chose de terrible va arriver. Mais peut-on sombrer abruptement dans la folie ? C'est au fond une expérience plus littéraire que littérale. Franken cesse donc de faire la différence entre le sujet et l'objet. Sophie, elle, choisit de ne rien deviner de la démence de Franken. »

« Et si Franken, comme Zeus, avait puni Prométhée afin de priver tous les humains du feu ? Voulait-il éradiquer la connaissance ? » Éliminer ces questions.

« Franken est l'inverse de Sophie. Expliquons-nous : il est un monstre et elle est une sainte. En effet, elle est l'alliée du monstre. Et le monstre, lui, valide la sainteté. L'un ne peut exister sans l'autre. Et chacun tend à annuler l'autre. »

« Continuons à analyser la nouvelle de M. Shelley.

[...] Franken aimait malmener ses modèles. Mais le résultat était toujours probant. « Vous n'êtes que de la chair à perfectionner. C'est moi qui vous donne votre unité. Mieux : je vous donne la vie », disait-il.
SEM : le corps imparfait
REF : encore Pygmalion
REF : la souffrance des modèles
PSY : inexistence inhérente de la femme

« Franken est-il en réalité une sorte de femme frustrée ? » Éliminer.

[...] Ce qu'il exigeait, c'est que les modèles aient soif et faim, au point de s'évanouir. Et il leur ordonnait de dire le mot « sodomie » devant l'appareil photo. Elles s'exécutaient.

REF : martyre
SEM : négation de la féminité
SEM : la sodomie comme mot fétiche
PSY : Franken le proxénète
HER : le désir meurtrier est dévoilé

« Prométhée mangeait-il si peu afin de martyriser son corps ? » Éliminer.

[...] Sophie ne savait pas ce que voulait dire ce mot. Elle a dû le chercher dans le dictionnaire. « Pratique du sexe anal », a-t-elle lu. Elle a rougi. Elle ne savait pas si elle détestait Franken. Elle acceptait pourtant son autorité : elle avait besoin de se voir en photo. C'était sa jeunesse qu'elle bradait.
REF : curiosité des femmes. Ève.
SEM : puissance des mots
REF : virginité
HER : est-ce le sort qui attend Sophie ? Va-t-elle se faire sodomiser ?

« Sophie Watteau a-t-elle un sexe ? » Éliminer.

« Il y a la question du dictionnaire. Est-ce que Prométhée consultait le dictionnaire ? Sa chambre était censément presque vide. Mais il est vrai qu'il avait un ordinateur. A-t-il lu sur la mythologie sur Internet ? Sa vie demeure un mystère. Il distribuait le feu à sa manière.

Détenait-il un secret qu'on a voulu lui extirper? Plus encore: était-il l'émissaire de la connaissance?»
Éliminer.

[...] Puis elle a décroché un contrat pour une compagnie de maquillage prestigieuse. L'agent l'a félicitée: elle avait des yeux parfaits, avec un blanc impeccable. Franken serait ravi.

SEM: les yeux deviennent des objets

SEM: jeu de miroirs: les yeux voient qu'ils sont vus

PSY: les yeux, réifiés, cessent d'être le miroir de l'âme

[...] Elle s'est présentée au studio tôt le matin. Franken avait une chevelure à la Albert Einstein et des rumeurs faisaient de lui une sorte de génie.

SEM: le studio du photographe comme laboratoire

REF: le génie

REF: le grand mathématicien juif, ce qui nous ramène au «stein» manquant

PSY: le génie ou la folie?

«Mais "génie" est-il le bon terme? Le génie englobe tout et n'importe quoi. En réalité, Franken est une parodie de génie. Et son activité se résume à du découpage. Il replace les corps dans les limites d'un cadre.»

«Prométhée a-t-il déjà eu des photographies de lui-même? Ironiquement, on a photographié son cadavre. Je me demande si ce crime hideux signé Franken avait un lien avec la mode. Prométhée était d'une élégance rare. »

« Je n'en peux plus. Oui, Franken poursuit Sophie avec un couteau. Puis elle devient prisonnière de l'ascenseur. Cette nouvelle est somme toute sinistre. La mort en est l'issue la plus probable. » Éliminer.

Marie-Christine se lève et va prendre une gorgée de vin. Elle entend le mot « scission » murmuré par S. Mais scission de quoi ? voudrait-elle hurler. Elle a l'image d'un couteau tranchant la chair. Elle n'aurait jamais dû aller voir *Le chien andalou* de Buñuel. Elle vérifie que la chaîne est mise. Elle a appris à marcher sur la pointe des pieds. Et que faisait Rob dans son appartement ? Et si c'était lui, Franken ? Mais ça ne se peut pas : il ne sait rien de la nouvelle de M. Shelley. Pourtant, les personnages de M. Shelley semblent prendre vie. Elle ne peut que se rappeler l'avertissement du Grand Zorg : tu es la prochaine. Et puis, que penser des manifestations de sa mère morte ?

Elle s'assied, épuisée.

Hier, elle a encore rêvé à l'eau qui inondait la ville. L'eau, bien sûr, c'est l'inconscient.

Est-elle sur le point de toucher à la vérité ?

L'engourdissement la gagne. Elle s'endort tout habillée.

AMOUR ET HAINE

C'EST LE TÉLÉPHONE QUI LA RÉVEILLE. Elle répond machinalement. La voix de son père la ramène à la réalité.

— Je viens à Montréal plus tôt que prévu. Je serai là lundi prochain. Nous pourrons nous rencontrer au restaurant.

— Tu t'es lassé de la Floride ?

— Non. J'ai des affaires à régler et il vaut mieux que je m'en occupe en personne.

— Bien. Où allons-nous nous rencontrer ?

— Au Paris, sur Sainte-Catherine. Et n'oublie pas. Dans la vie, il faut passer à l'action.

— Oui, papa, dit-elle avant de raccrocher.

Finn et elle ont convenu de se rencontrer à La Croissanterie à 19 h. Ils comptent échanger leurs conclusions sur l'affaire Prométhée avant de se rendre chez Sy.

Elle ne peut s'empêcher de mettre ses bottes à talons hauts. Puis elle se maquille. Elle observe le résultat : elle est persuadée que son image ment. Est-elle cette femme au visage déjà fané dont le regard trop clair exprime de la surprise ? Les petits personnages ornent le miroir. Elle a maintenant l'habitude de voir des choses inusitées. Mais elle ne peut se défaire de cette sensation d'être observée.

Elle marche dans la rue déjà obscure. Ses talons claquent, ce qui lui donne un sentiment de puissance. « Danger, danger », entend-elle. Elle accélère le pas. La voix du Grand Zorg résonne en elle.

Finn est assis à une table du fond et il sirote un café. Il n'a pas apporté Confucius. Il la salue d'un hochement de tête subtil.

— J'ai bien réfléchi, commence-t-il.

— Oui, moi aussi. Est-ce que Franken existe vraiment ?

— Peut-être.

— Et si le meurtrier était n'importe qui ?

— Mais il y a la mise en scène avec les chaînes et la note.

— Oui, oui, je sais. L'assassin a planifié ce meurtre. Peut-être que le personnage de M. Shelley s'est matérialisé, qui sait. Et n'oublions pas que je suis un personnage dans la nouvelle sur laquelle elle travaille maintenant, une Juive dans un camp. Ça me fait un peu peur, je l'avoue.

— Calme-toi. Tu n'es pas Juive. Tu es en sécurité. Mais j'en reviens à nos suspects. Nous allons peut-être apprendre du nouveau ce soir. Le tueur n'est qu'un être humain, j'en suis sûr.

— Et il y a des chances que Prométhée connaissait son agresseur.

— Peut-être. C'est un crime bien orchestré. Bon, allons-y. Il est temps de déployer nos talents de détective. J'ai l'argent pour un taxi.

Dans le taxi, ils demeurent silencieux. Marie-Christine soupçonne que c'est la dernière fois qu'elle se rendra au loft de Sy. Elle flaire le drame.

C'est Finn qui cogne sur la porte à la fenêtre grillagée. Sy paraît et dit :

— Vous êtes les premiers à arriver. Venez. Voulez-vous une bière ?

Quatre musiciens sont installés sur une estrade et ils jouent un air langoureux.

— Voilà l'atmosphère idéale pour les confessions, déclare Finn.

Marie-Christine s'empêche de dire : mon ange, ma sirène, je te veux comme on désire la Lune. (REF : amour fou, pense-t-elle.)

— Oui, les invités tardent à arriver. J'espère que tout le monde va se présenter. Il faut mettre cette sale affaire au clair, dit Sy.

— Quelque chose me dit qu'ils viendront, lance Finn en souriant à peine.

Elle s'assied sur le divan. Sy s'approche d'elle. Le voilà qui s'agenouille à nouveau devant elle en disant : « Tu veux de la coke ? Ou de l'ecstasy peut-être ? » Est-ce une prosternation ? Certaine que Sylvie n'est pas là, elle passe le bras autour du cou de Sy et l'embrasse avec ferveur. Puis, avec audace, elle glisse la main dans son pantalon :

elle tâte un sexe énorme. Elle en a le souffle coupé. Sy n'est donc pas un castrat comme la Zambinella. Il est bel et bien un homme. Elle ne sait pas si elle est déçue. Il demeure immobile un moment, puis déclare de sa voix granuleuse : « Toi et moi, ça ne marcherait pas. Tu es trop douce. Et j'aime la cruauté. » Il se relève comme si de rien n'était et s'éloigne avec langueur. Elle tremble : ce magnifique visage était tout contre le sien. Au même moment, Sylvie fait son apparition, toujours aussi vulgaire. Au loin, Sy et Sylvie échangent quelques mots sans se toucher. Sylvie est celle qui sait piquer les magnifiques bras de Sy.

Marie-Christine croit étouffer. Finn la rejoint et dit :

– Laisse tomber. Allez, bois une petite gorgée de bière.

Elle s'exécute en sentant couler des larmes sur ses joues. Trop douce.

– C'est un saint, proteste-t-elle.

– Oui, mais il épuise ceux qui l'entourent. Allez, ne pleure pas. Ton noir a déjà un peu coulé.

– Oui, je dois ressembler à une créature de Mary Shelley.

– Mais n'oublie pas que nous avons une mission. Nous cherchons à démasquer Franken.

– Frankenstein sans le stein.

– C'est bien ça, dit-il d'une voix chuintante.

Des invités sont arrivés, mais les suspects n'ont pas encore fait leur apparition. Finn prend la main de Marie-Christine et l'entraîne vers l'endroit où l'on danse. Il lui impose un slow langoureux. Il cherche sans doute à lui faire oublier Sy.

– Merci, Finn, dit-elle en regrettant une fois de plus qu'il ne soit pas son père.

Blue et M. Shelley sont arrivées. Elles ont toutes deux un visage tendu. Finn leur fait signe de s'approcher.

– J'ai tiré la carte de la Mort, lance Blue, visiblement affolée.

– Et moi, j'ai cessé d'écrire ma nouvelle. Je crains d'avoir le pouvoir de créer la réalité, avoue M. Shelley en posant d'instinct la main sur sa hanche comme si elle avait un revolver.

– Dieu m'a avertie d'un danger, continue Blue.

– Oui, le Grand Zorg m'a dit à plusieurs reprises le mot « danger », leur confie Marie-Christine.

– Ne nous affolons pas. Nous ne faisons que vérifier toutes les hypothèses possibles, leur rappelle Finn.

Au même moment, Paul fait son entrée, toujours en jeans, suivi de Fritz, qui jette autour de lui des regards inquisiteurs.

– Et d'un, dit Finn.

– Comment s'y prendre ? demande Marie-Christine.

– Je m'occupe d'eux. Toi tu iras parler aux filles quand elles arriveront.

– Si elles viennent.

– Elles viendront.

Finn s'approche de Paul et engage la conversation. Que peut-il bien lui dire ? Marie-Christine envie l'extraversion de Finn. Il semble s'adapter à toutes les situations.

Les musiciens entament un air de samba. Ils sont mauvais, mais ils savent créer une atmosphère sulfureuse.

Voilà que Sophie et Zoé arrivent. Zoé ressemble plus que jamais à Nelly Arcan et Sophie, toujours sans maquillage, est vêtue d'une longue tunique informe qui cache son long corps.

À mon tour de jouer, se dit-elle.

Elle s'approche des deux femmes.

— Soyez les bienvenues ! lance un peu pompeusement Marie-Christine.

— Je vais faire un tour et je reviens, déclare Zoé, qui se dirige vers la table du fond où l'on fait des lignes de cocaïne.

Marie-Christine ne sait trop comment aborder Sophie. Sans doute faudra-t-il parler de Proust. Si elle déclare son aversion pour les longues phrases savantes, elle ébranlera cette snobinarde au visage fermé.

— Je l'avoue, je n'ai pas lu tout Proust, confie-t-elle à Sophie.

Sophie se redresse comme si elle faisait un salut militaire. Touché, se dit Marie-Christine.

— C'est pourtant la bible des littérateurs.

— Mais j'ai le malheur d'aimer la vitesse. *S/Z* est comme un roman policier.

— C'est vrai. Mais moi, contrairement à vous, j'aime la lenteur. Proust analyse si finement les rapports humains. Il décrit l'être de l'être.

— On peut savoir être ou savoir ne pas être.

Sophie a relevé la tête, visiblement intriguée. Marie-Christine comprend qu'il lui faudra patiner intellectuellement.

— Oui, ajoute-t-elle, l'être est tel qu'il ne peut que nous échapper.

— Mais la conscience de l'être se construit avec le temps.

Marie-Christine tente d'aiguiller la conversation vers l'assassinat de Prométhée.

— Mais le non-être est l'issue de l'existence.

— Proust est un écrivain de l'excès. Il décrit le monde jusqu'à l'épuisement.

— Croyait-il en Dieu ?

— Sans doute que non, réplique Sophie en pinçant la bouche.

Marie-Christine boit de la bière au goulot. Elle espère inciter Sophie à l'imiter. Mais Sophie demeure de glace.

— Et notre ami Prométhée est mort, tout bêtement, continue-t-elle. Il était pourtant divin.

— Vous voulez dire qu'il était surhumain ?

Ce vouvoiement met Marie-Christine mal à l'aise. Elle tente en vain d'établir un climat de confiance.

— Tu sais, Prométhée était peut-être une sorte de messager du ciel.

— Mais de toute évidence, il n'était pas éternel.

— Non, en effet. Mais quelqu'un a décidé de lui enlever le foie, comme au dieu de la mythologie.

— Manger un foie, quelle barbarie !

Marie-Christine sent un courant froid passer dans ses veines.

— Qui dit qu'on a dévoré le foie de Prométhée ?

Sophie bégaie pour la première fois.

— Il n'y a pas d'autre conclusion, prétend-elle.

Elle reprend vite contenance et affirme :

— De toute manière, ces histoires de meurtre, c'est pour le *Reader's Digest*. Moi je ne vis que pour Proust, dont le bon goût était infaillible. Je vis dans le temps de la remémoration.

À ce moment, Zoé revient, les yeux trop brillants.

— Nous parlions de Proust, dit Sophie avec un air de défi.

— Ah, tu ne cesseras jamais d'être Sophie ! Ta thèse va faire un tabac, je te l'ai toujours dit. Marie-Christine et moi peinons sur notre mémoire. Je me prosterne devant toi.

Marie-Christine décide de jouer la carte de l'humilité.

— Oui, pour moi écrire n'est pas toujours facile. Mais au fait, Sophie, connais-tu Paul ? Je crois qu'il fait sa thèse sur Hegel.

Sophie rougit violemment. Échec et mat.

Marie-Christine s'excuse et va rejoindre Finn, qui est maintenant seul, Paul et Fritz étant à la table à cocaïne.

— Alors, murmure Finn.

— Louche, très louche. Sophie tient pour acquis qu'on a mangé le foie de Prométhée.

— Ce n'est peut-être qu'une conjecture.

— Présomption bizarre, tout de même.

— Et j'ai appris des choses intéressantes. Ton Paul connaît très bien Sophie. Je crois même qu'ils ont été amants. Paul est un papillon.

— Et maintenant ? Est-il l'amant de Fritz ?

— Oui, je le crois. Mais c'est plutôt ambigu.

Marie-Christine relate sa mésaventure chez Fritz.

— Je ne saurai jamais si ce vin était véritablement drogué, conclut-elle.

Finn réfléchit en plissant les yeux.

— Fritz, j'en suis convaincu, ne sait rien de la nouvelle de M. Shelley. Seul Paul est au courant. Bon, je vais aller parler à cette Sophie. Comme j'ai un visage vaguement asiatique, on se confie à moi, comme si j'étais plus sage que les autres.

— Bonne chance. Bon, Zoé revient. À tout à l'heure.

Zoé donne un coup de coude à Marie-Christine en souriant trop fort.

— J'ai tout deviné. C'est le grand type aux cheveux noirs qui se bourre de neige comme s'il cherchait à avoir une attaque.

— Tu connais mes goûts.

— Oui, d'abord Marc, le brun ténébreux que tu as réussi à séduire en jouant les intellectuelles extasiées.

Puis celui-ci. Il va te faire mal. Je le connais de vue. Il fait le tapin de temps à autre.

— Je sais.

— Et sa dulcinée fait dans le porno. Un beau couple !

— De toute manière, il ne veut pas de moi.

— Laisse tomber. Pourquoi ne pas renouer avec Paul ?

— Paul semble se plaire avec Sophie.

— Ah, ça, c'est une vieille histoire ! Tout le monde pensait qu'ils étaient faits l'un pour l'autre.

— Et que s'est-il passé ?

— Sophie a décidé de préférer les femmes. Puis elle est devenue une sorte de nonne.

— Et elle ne mange pas de viande.

— Non, en effet.

— Pourtant, elle m'a fait un drôle de commentaire. Elle croyait que le meurtrier avait mangé le foie de Prométhée.

— Cette histoire de meurtre ! Moi je dis qu'il s'agit d'un trafic d'organes. Quelqu'un en Suisse a sans doute reçu un beau foie.

— Mais qui aurait pu signer Franken ?

— Un hasard. Quelqu'un qui aurait écourté le nom de Frankenstein.

— Et ces chaînes ?

— Oui, concède Zoé. La mise en scène nous suggère que le tueur savait que votre ami se faisait appeler Prométhée. Tu ne me soupçonnes pas, tout de même ? Je ne peux pas supporter la violence.

— Je te connais, dit Marie-Christine, songeuse.

L'orchestre entame une sorte de mambo et Zoé va danser seule. Marie-Christine en profite pour aborder Paul.

— *Long time no see,* dit-il ironiquement.

— Et comment était Paris ?

— Bien. Aucun Franken ne m'a poursuivi avec un couteau. J'ai fait d'innombrables séances de photographies dans un climat assez joyeux.

— Mais on prétend que dans ce milieu les femmes sont souvent malmenées.

Paul semble hésiter, puis il dit sur le ton de la confession :

— Oui, Sophie a eu des problèmes et elle a tout arrêté.

— Quel genre de problèmes ?

— Eh bien, un photographe est devenu obsédé par elle.

— C'est ce que j'ai cru comprendre.

— Oui, c'était un tordu. Il paraît qu'il se caressait le sexe avec les photographies de Sophie. Puis il est passé à l'acte. Mais Sophie a réussi à se sauver.

— Quelle histoire scabreuse ! A-t-elle été blessée physiquement ?

— Non. Mais elle a été ébranlée. Elle a tout de même duré trois ans dans ce métier. La Sophie de la nouvelle, c'était un peu elle. Comme on dit en anglais, *too close to home*. Je ne sais pas où ta M. Shelley a puisé son inspiration. Sans le vouloir, elle a tapé dans le mille.

— C'est elle, en habit bleu, dit Marie-Christine en pointant du doigt.

— Une femme noire corpulente vêtue comme un flic. Qui l'aurait cru !

— Donc tu as connu Sophie à l'époque où elle était mannequin.

— Oui, et je crois toujours en être amoureux même si notre histoire remonte à il y a six ans. Sophie est intelligente, trop sans doute. Elle a décidé de se consacrer aux choses de l'esprit. Elle aura terminé son doctorat avant moi, j'en suis sûr.

— Et elle fait de l'art, si je comprends bien.

— Oui, des portraits et de magnifiques collages. Elle a une main magique.

— Elle sait manier une lame ?

— J'imagine que oui. Mais où veux-tu en venir ?

— À rien. À rien du tout. Sophie m'intrigue, c'est tout.

Paul a un sourire suffisant qui agace Marie-Christine. Ce qu'elle aurait voulu, c'est se perdre en Sy. Mais Sy l'a repoussée. Étrangement, elle accueille la situation avec abnégation : c'est sans doute l'influence de Finn.

Paul a rejoint Fritz à la table de cocaïne. Elle décide d'être sage. Que faire ? Et si elle se jetait du haut d'un pont parce qu'elle est déçue en amour ? Non, trop banal. Et puis, le problème, c'est qu'elle ne sait plus qui elle aime : une fiction ou un être de chair.

Elle sursaute lorsque Finn lui prend la main pour l'attirer dans un coin plus tranquille.

— J'ai appris que Sophie s'est déjà inscrite en médecine. Et que Zoé a une fascination pour les hommes purs et chastes. Pourtant, c'est une gouine. Belle, il est vrai.

— Oui, mais elle m'a parlé d'un client dont elle s'est amourachée. Il s'appelait Angel et il lui faisait lire des poèmes de Mallarmé. Jamais il ne la touchait. Et tiens-toi bien : il était amérindien.

— Mais elle n'a jamais vu Prométhée.

— On ne sait pas.

— Tu crois qu'il allait aux putes ?

— Non, cela ne me semble pas possible.

— Et moi, j'ai appris que Sophie et Paul ont été amants.

— Oui. Paul la regarde souvent. Le courant passe encore entre eux.

— Paul amoureux d'une créature pure !

— Et c'était comment, avec Paul ?

— Beaucoup d'apathie. Mais je dois avouer qu'il a été gentil, même si je crois qu'il est un NaZ.

— Il ne ferait donc de mal à personne.

— Non. J'en suis presque sûre. Il s'amuse à faire scandale en s'affichant avec un homme. C'est tout.

— Bon. La seule personne qui manque est la docteure Samson.

— Je doute qu'elle vienne. Elle a la cinquantaine passée. Mais il est vrai qu'elle aime fréquenter ses étudiants.

— Mais je suis encore certain que quelque chose va se passer.

— Oui, peut-être.

— Il ne fallait pas embrasser Sy.

— C'est fou. J'ai tellement mal que je suis au-delà de la souffrance.

Finn sort un joint de sa poche et l'allume.

— Tiens, cela te détendra. Il ne faut pas toucher à cette cocaïne. Ah, je m'ennuie de mes chats et de mon chien !

Elle aspire la bouffée et ressent un léger engourdissement. Elle regarde autour d'elle. Certains dansent, d'autres discutent.

C'est alors que Kathy Samson fait son entrée. Marie-Christine en a le souffle coupé. La docteure est entièrement vêtue de cuir noir et elle est maquillée à outrance. Marie-Christine va l'accueillir.

— Bonsoir, Madame Samson. Bienvenue chez notre ami. Il y a de la bière et du vin.

La docteure Samson pivote sur elle-même en jetant des œillades du côté de Sophie.

— Je dois prendre le pouls de la jeunesse, déclare-t-elle. Cet endroit est un peu comme une cave existentialiste d'autrefois. En passant, j'ai bien aimé votre travail, Marie-Christine. D'ailleurs, celle qui a écrit la nouvelle est-elle ici ?

Marie-Christine fait signe à M. Shelley de s'approcher. Elle marche gauchement, visiblement intimidée.

— Voilà notre écrivaine, dit Marie-Christine en levant le bras.

— Bravo, mon amie. Tout cela est terriblement perspicace. Et c'est plus près de la réalité qu'on ne l'imagine. Avez-vous déjà fait de la mode ?

M. Shelley pose les mains sur les hanches.

— Non, évidemment pas. Regardez-moi ! Mais la mode est omniprésente. Et elle fait du mal à tant de femmes. Ces photographes se prennent pour Dieu.

— Et vous croyez en Dieu ?

— Plus : je le vois.

La docteure Samson fait volte-face et s'éloigne.

Blue s'est avancée. Son visage n'exprime que de la surprise.

— Mais c'est la femme qui m'a donné cent dollars pour que je lui tire les cartes ! dit-elle à Marie-Christine.

Kathy Samson s'est agenouillée devant la table et elle se fait des lignes. Sophie s'est réfugiée près de Paul.

Finn regarde Marie-Christine.

— Dis donc. Elle a plutôt l'allure d'un motard, ta directrice de mémoire.

— Elle me surprend. Plus : je suis estomaquée. Dans son bureau, elle a une mise si sévère. C'est le jour et la nuit. Peut-être refuse-t-elle de vieillir.

— Moi je crois qu'elle est venue pour une seule raison.

— Laquelle ?

— Elle sait qui est Franken.

Les musiciens font une pause en buvant du vin. Finn se dirige vers la table. Marie-Christine ne sait quoi faire de son corps. Elle a encore l'empreinte de ce baiser raté sur la bouche. Elle se console en se disant que les amours impossibles sont les plus lyriques. Il est vrai qu'elle ne pourrait pas suivre Sy. Elle doit admettre qu'elle aime la solitude. La musique reprend. Elle se balance au rythme d'un air lent.

Finn revient vers elle.

— Ta docteure Samson n'a pas répondu quand je lui ai demandé si elle aimait les chats. C'est comme si j'avais été invisible. Elle ne fait que parler d'un certain Deleuze et du complexe sadomasochiste. Si j'ai bien compris, elle prétend que le sadique ne peut pas se plaire avec le masochiste. Ce sujet semble lui tenir à cœur.

— Oui, elle est versée en psychanalyse. Je crois qu'elle a même eu des patients.

— Tu ne trouves pas qu'elle a une allure dogmatique ? Si je la croisais dans la rue, j'aurais peur.

— En effet. Elle est l'image même que je me fais d'une NaZ. Mais c'est un bon professeur.

Un cri perçant couvre la musique. Marie-Christine se retourne et voit la scène. Sophie s'est réfugiée derrière Paul. Kathy Samson a brandi un revolver. Les invités se sont immobilisés. Les visages sont incrédules.

— Toi, hurle Kathy Samson, toi Paul, ou Hadès, tu m'as volé ma Perséphone. Tu lui as fait manger les six grains de la grenade et tu la tiens prisonnière en enfer. Mais apprends que Perséphone est à moi. Je vais te prouver que moi, Déméter, je suis plus forte que Zeus. Allez, Sophie, viens ici. Partons !

Sophie ne bouge pas. Elle balbutie :

— Mais ça ne devait pas se passer comme ça.

— Comme quoi ? lance la docteure Samson.

— Tu m'avais promis qu'on ne ferait de mal à personne. Moi, je ne voulais qu'être une déesse. Oui, je t'aimais, mais maintenant, je ne sais plus.

Zoé s'avance courageusement et dit :

— Baissez cette arme, Kathy. Cela ne sert à rien.

Mais Kathy Samson se rebiffe.

— J'ai le pouvoir de donner la vie, mais aussi de l'annuler. Toi, Zoé, ou plutôt Athéna, je te tolère parce que tu n'as pas froid aux yeux. Mais Hadès, tout comme Prométhée, doit mourir.

Finn fait un pas en avant.

— Donc vous avez tué Prométhée, dit-il calmement.

Elle hurle de rire.

— Sans aucun doute, mon ami. C'est moi qui ai signé le crime du nom de « Franken ». La nouvelle de votre M. Shelley que Marie-Christine analysait m'en a donné l'idée. Mais c'est Sophie qui tenait le scalpel. Quand Marie-Christine m'a parlé d'un Prométhée, j'ai su que j'avais trouvé la voie de mon destin en défiant Zeus. Oui, j'ai suivi Marie-Christine, déguisée en Doso. Et je me suis rendue à La Croissanterie. J'ai vite compris qui était Prométhée. La victime parfaite, pure et seule. Puis j'ai rencontré cette insipide Blue qui m'a tout dit sur les Illuminaires. Je savais qu'il me fallait le foie de Prométhée.

Et moi, Déméter, j'ai triomphé de Zeus en libérant Prométhée de son calvaire.

— Ce n'est pas l'aigle qui a dévoré le foie. C'est vous, continue Finn.

— Sophie et moi. Vous ne pouvez pas comprendre, vous, vulgaires humains. Déméter ne peut vivre sans sa Perséphone.

— Vous avez envoyé les lettres avec le soleil noir.

— Oui. Et la prochaine victime doit être Marie-Christine, avec son regard clair de Méduse. Elle est trop dangereuse. Mais c'est avant tout Hadès qui doit disparaître. Et toi Fritz, quel idiot ! Tu devais les droguer, mais tu n'en as pas été capable.

Elle vise Paul. Sophie se place devant lui.

— Oui, j'ai appris à aimer Hadès, dit Sophie. Oui, j'ai découpé l'abdomen de Prométhée. Mais mon être appartient à Hadès.

Sophie a un regard fiévreux. Elle passe ses mains sur ses hanches maigres.

La docteure Samson pointe maintenant son revolver sur Marie-Christine.

— Franken, quel nom parfait pour un meurtrier ! Je vous ai bien eus. Toi, la théoricienne, tu dois aussi mourir. Apprends que je comptais te trancher la tête.

C'est alors que Sy s'élance sur Kathy Samson.

— Tu ne réussiras pas à m'arrêter, Dionysos.

— Mais tire, vieille salope ! lance Sy en s'emparant de ses poignets.

Un coup de feu atteint Sy à la main. Il réussit toutefois à maîtriser la femme qui se débat en vain.

Un homme s'avance.

— J'ai fait le 911 et j'ai tout enregistré sur mon portable, lance-t-il, triomphant.

Quelques minutes plus tard, des bruits de pas se font entendre. Et les flics font leur entrée dans le loft.

Les policiers menottent Kathy Samson et Sophie Watteau. Avant d'entrer dans la voiture, la professeure crie :

— Je suis immortelle. Un jour, je vous tuerai tous.

Des ambulanciers pansent la main de Sy. Finn prend Marie-Christine dans ses bras. Blue sanglote. M. Shelley a le regard vide. Tous acceptent d'accompagner Sy à l'hôpital.

Marie-Christine entend la voix de S qui susurre : « Plus de scission. »

Elle comprend que la scission, c'était son cou tranché. Elle était la prochaine victime.

— J'ai eu si peur, dit-elle à Finn.

— C'est la fin du cauchemar, lui assure-t-il.

Sy est étendu sur un lit d'hôpital, la main cachée sous un épais bandage.

— Et par-dessus le marché, on me donne de la morphine ! dit-il l'air satisfait.

Huit heures se sont écoulées depuis l'incident, mais Marie-Christine en tremble encore.

— Merci de m'avoir sauvé la vie, Sy, dit-elle en évitant de le regarder.

— Tu as des nerfs d'acier, renchérit Finn.

— Je savais que c'était la carte du Diable, s'écrie Blue.

— Et Franken peut enfin redevenir un simple personnage, conclut M. Shelley.

— Dieu est avec nous, déclare Sy.

Finn jette un regard pénétrant sur Marie-Christine.

— Tu vas pouvoir retourner chez toi ?

— Oui. Marcher me fera du bien. Comme vous tous, j'ai eu un choc. Mais je vais mieux. Au fond, je savais que Kathy Samson était trop intelligente. Elle ne pouvait que devenir une criminelle. Le K de Kathy, c'est la coupure. Elle et Sophie ont en effet découpé l'abdomen de Prométhée. Espérons qu'elle sera emprisonnée longtemps, dit-elle.

— Et tu crois toujours à ton pogrom ? demande Finn.

— Je ne sais plus, avoue-t-elle.

C'est l'aube.

Elle quitte l'hôpital avec la certitude qu'elle ne verra plus les Illuminaires.

Étrangement, elle est calme.

Elle compte redevenir une femme désabusée. Elle récapitule la situation : Sy n'est qu'un homme, Finn n'est pas son père, Blue ne voit pas l'avenir et M. Shelley demeure un écrivain inconnu.

Et elle ne veut qu'une chose : s'endormir avec une main chastement posée sur son sexe.

N'ÊTRE PAS MORTE

— TU ES EN DANGER, dit la voix de S.

Elle se sert un verre de mauvais vin. Le Grand Zorg se déplace de long en large dans l'appartement. Elle a mis la chaîne. Elle devrait être en sécurité. Elle ne peut pas oublier le visage grimaçant de la docteure Samson. Il lui faudra trouver quelqu'un d'autre pour diriger son mémoire. Elle l'a échappé belle ! Saint Sy l'a sauvée ! Elle frissonne en imaginant Sophie en train de découper l'abdomen de Prométhée.

Zoé avait une allure si négligée. « Mais l'amour entre femmes, ce n'est pas ça », a-t-elle dit. Paul, lui, avait perdu de sa superbe. Il a murmuré : « Je ne m'en serais jamais douté. » Oui, cet aveu de la docteure Samson restera dans les annales de la folie. La vraie folie, celle de Franken.

Elle s'installe devant son ordinateur et écrit : « Sarrasine, poussé par son amour pour la Zambinella, a réussi à faire de l'art. Et peut-être en a-t-il été ainsi pour moi : grâce à Sy, j'ai écrit. Mais en réalité, j'aurais voulu qu'il s'appelle Zy, qu'il soit mutilé, qu'il ne soit pas normalement constitué. (SEM : l'homme n'est pas une femme.) Et il m'a dit que j'étais trop douce. Oui, je m'écoule lentement, comme l'encre d'un stylo, tandis que Sy fonce dans la vie. Il va me manquer, mais l'aventure a tiré à sa fin. Pourtant, je crois être en danger. Et quel destin attend les

Judéioformes ? Je n'ai toujours pas de réponse. Il est étrange de voir un revolver pointé sur soi. Après, on est changé. Bon. Je dois me préparer à voir mon père demain. Je vais devoir me passer de la gentillesse de Finn.

« Mon père va sans doute m'assener des proverbes, comme "un tien vaut mieux que deux tu l'auras", "on ne vend pas la peau de l'ours avant de l'avoir tué" et ainsi de suite. (SEM : la vie dans un carcan rigide.) Je ne sais pas si je vais lui parler des manifestations de ma mère. Il risque de faire de moi une détraquée. Et puis, il y a la question de mes photographies d'enfance. Je préfère laisser les choses telles qu'elles sont. L'ignorance sera peut-être mon salut.

« Je suis seule. »

Elle tire le rideau de la fenêtre. Une fine neige recouvre la ville. Tout semble aller au ralenti. Et elle entend la voix de S.

— Tu es une Judéioforme, donc une Juive. Et tu es guidée par une étoile, mon enfant. Le pogrom a commencé.

— Mais non, crie-t-elle, je suis une catholique.

Elle entend des coups sur le mur. Elle voudrait encore crier, mais elle ne peut que s'affaler sur son futon.

PETIT PAPA

ELLE S'HABILLE EN JEANS, met ses talons plats et ne se maquille pas. Elle ne veut pas plaire à son père. Elle continue d'entendre la voix de S. « Danger, danger », dit-elle.

Son père a toujours aimé les endroits chics. Le Paris est un restaurant français où les serveurs portent une chemise blanche.

Elle décide de s'y rendre à pied. Elle ne cesse de voir des revolvers noirs dans les mains des passants. La vieille femme au manteau gris est à l'arrêt d'autobus. « Tous comme des chiens ! » lance-t-elle lorsque Marie-Christine passe devant elle.

Elle titube. Est-elle en réalité une victime ?

Lorsqu'elle parvient au restaurant, elle demeure un moment à l'extérieur pour calmer sa respiration. Puis elle entre. Son père est assis à une table du fond. Il a vieilli, ses cheveux tirent sur le gris et il a une expression soucieuse sur le visage. Il s'est fragilisé. Ce qu'elle aimait de lui était sa stabilité. Mais maintenant, il commence à ressembler à un de ces hommes que l'âge détruit.

Comme d'habitude, il lui serre la main sans l'embrasser. Elle remarque que ses mains sont très brunes. Elle s'assied, étourdie. L'atmosphère feutrée la pousse à chuchoter.

— Tu t'es teint les cheveux. Le noir te donne un visage maladif, dit-il d'emblée.

— C'était une expérience. Mais je vais les laisser pousser.

— As-tu un petit ami ?

— Non.

— Ce Marc ?

— C'est bel et bien fini. Il a déjà une autre femme dans sa vie.

— Il faut penser aux enfants. Une femme doit penser aux enfants.

— Mais tu sais que le médecin a dit que j'étais sans doute infertile.

— Ne parlons pas de ces choses trop personnelles. J'ai pris la liberté de commander pour deux.

Un serveur verse le vin. Elle en boit une gorgée. Elle jurerait qu'il a un goût chimique. Ses jambes se détendent et ses mains deviennent moites.

Son père toussote.

— Et la vie ne te maltraite pas ?

— Non, dit-elle en mentant.

— Pas d'événements inhabituels ?

— Non. C'est la routine, comme d'habitude.

Il soupire.

— Bon. Il est temps que tu saches.

Elle jurerait qu'à ce moment-là il a les yeux creusés d'un mourant.

— Voilà, lance-t-il. Tu es une enfant adoptée.

Suit un silence pesant. Elle se sent désorientée. Mais elle éprouve un étrange soulagement. Ses soupçons sont donc confirmés. Elle réprime tout de même un sanglot.

— Les photographies... commence-t-elle.

— Oui, c'était l'idée de Marianne. Elle savait qu'un jour tu comprendrais. Nous nous sommes occupés d'une dizaine d'enfants. Mais Marianne t'a choisie. Moi, je ne voulais pas de cette vie.

— Et pourquoi me le dire seulement maintenant ?

— Parce que je ne veux plus te voir.

Il se renverse sur sa chaise. Elle lui trouve l'allure d'un aigle, oui, l'aigle de Zeus qui dévore le foie de Prométhée. L'huile autour de sa bouche luit. Et ses yeux sont tout à coup d'une dureté effrayante.

— Après la mort de Marianne, j'ai jugé bon d'attendre de voir ce que tu deviendrais. Mais tu m'as déçu. Moi, ce que je voulais, c'est une fille avec une grande carrière. J'ai engagé une femme qui t'a téléphoné en se faisant passer pour ta mère. Et un ami parisien s'est chargé d'écrire les cartes postales en imitant l'écriture de Marianne.

— Mais tu voulais me rendre folle ! s'écrie-t-elle.

— Je voulais que tu sois désorientée afin de te préparer à abandonner l'idée d'une famille. J'ai pris des dispositions pour me dégager légalement de toi. Tu ne pourras plus me demander d'argent. Au fond, c'est tout ce que tu as fait de moi : un pourvoyeur.

Marie-Christine voit le Grand Zorg assis sur une banquette. Elle étouffe.

— Mais qui étaient mes parents ?

— Des Juifs qui se sont installés à Montréal. Ils venaient d'Europe de l'Est. Ils sont morts dans un accident de voiture. Tu es Juive, Marie-Christine. Marianne te trouvait si délicate et si jolie.

— J'ai donc encore de la famille.

— Ne compte pas sur eux. Personne n'a voulu s'occuper de toi.

— Mais quel était le nom de mes parents ?

— Ton père s'appelait Fasblitz ou Wineblast, un nom bizarre. Quant à ta mère, je ne me souviens plus.

— Ce ne serait pas Fineblitz, par hasard ?

— Oui, c'est ça. C'était le nom.

Elle peut à peine se tenir droite. La seule image qui la hante est l'énorme poitrine de Sheila Fineblitz. Elle a un sursaut de dégoût. Une cousine ? Une tante ? Elle ne veut pas savoir.

— Voilà, déclare le faux père. Je te laisse payer ta portion de la facture.

Il sort du restaurant. Elle se souvient de lui riant en jouant au ballon avec elle. Il lui a acheté une bicyclette. Tout cela n'a donc été qu'un mensonge ? Il est vrai qu'il a divorcé de Marianne alors qu'elle était encore petite. Et Marianne l'a gardée.

— Tu as été adoptée par des NaZ, susurre la voix de S.

Elle se lève à son tour et sort du restaurant sans payer. Elle commence à courir. Elle a l'impression d'avoir des pieds ailés.

De retour à l'appartement, elle s'affale par terre et commence à pleurer, un exploit, vu qu'elle a appris à souffrir en silence. Dire qu'elle l'appelait « petit papa » !

Le Grand Zorg s'avance vers elle.

— Tu es une élue, dit-il.

Elle prend alors conscience de sa solitude intolérable.

UNE SORTE DE DISNEYLAND

ELLE NE VEUT PLUS VOIR ni le Grand Zorg ni les petits personnages du miroir. Elle ne sait comment faire taire la voix de S.

Elle saute dans un taxi et demande à être emmenée à l'Hôpital Douglas. On file à toute allure. On longe maintenant un boisé. Des édifices lugubres s'érigent dans le lointain. Puis elle voit enfin le mot « Urgence ». Elle paie la course et entre sans hésiter dans l'immeuble.

Une infirmière à l'air impassible lui demande ses cartes.

— On viendra vous chercher, se contente-t-elle de dire.

Marie-Christine s'assied dans la salle d'attente. Elle est seule. Elle regarde la télévision suspendue au plafond. Des femmes trop maquillées sourient. Flottant au-dessus de l'écran, le Grand Zorg a le bras levé dans un geste d'imprécation.

— Va-t'en ! ordonne-t-il.

— Non, je ne t'écouterai plus, murmure-t-elle.

Au bout d'une heure, une autre infirmière l'appelle. Elle s'installe sur une chaise inconfortable dans une pièce surchauffée. Voilà que je brûle en enfer, songe-t-elle. Et elle déclare :

— Je suis folle.

La femme ne cille pas.

— Expliquez-moi, dit-elle d'une voix égale.

Et Marie-Christine se lance dans un grand discours en passant volontairement du coq à l'âne.

— Je vois un dieu. Et il y a une voix de femme qui me harcèle. C'est le pogrom et les Judéioformes, comme moi, sont en danger. Je suis une vraie Juive, voyez-vous. Et la docteure Samson et Sophie ont mangé le foie de Prométhée. J'étais la prochaine à mourir. Fineblitz, voilà mon vrai nom. J'ai rencontré une Fineblitz, mais elle était obscène. On me poursuit. J'écris un mémoire sur *S/Z*. Mais presque personne ne le lira. Et j'ai analysé une nouvelle écrite par M. Shelley. Je m'insurge contre la pléthore. De plus, mon père m'a révélé que j'ai été adoptée. J'ai aussi aimé un saint. Mais — horreur ! — il avait un sexe. Et les saints sont des monstres. (SEM : passer aux aveux. ACT : entrer pour ne plus ressortir.) Kathy annonce une coupure. Samson est un nom qui suinte. Kathy, Franken : la suite était prévisible. Or, j'ai aussi le k phonétique dans mon nom. Marie-Christine, c'est peut-être le mal qui se résorbe dans un glissement. De plus, mon nom contient le n de la négature. Oui, je suis une négation vivante. Mais cela est mon faux nom. Peut-être m'a-t-on appelé Ruth? Et ma mère, qui n'était pas vraiment ma mère, est morte. Ma mère et mon père étaient des NaZ. J'ai aussi couché avec Paul. J'ai voulu faire comme Sarrasine. J'ai voulu aduler une Zambinella. Zoé, ma seule amie, est une lesbienne qui travaille comme escorte. Elle m'a encouragée à me faire couper les cheveux. Mais jamais je ne ressemblerai à Louise Brooks. Cependant, Finn semblait bien m'aimer ainsi. Il voit une sorte de Bouddha. Saviez-vous que David Icke a dit que le M et le W étaient les lettres du satanisme? Peut-être que si je m'étais appelée Sylvie, Sy aurait voulu de moi? Blue m'a pourtant affirmé que j'étais née sous une bonne étoile. Dans une nouvelle, M. Shelley a fait de moi une Juive prisonnière d'un camp de concentration. Elle a tout deviné. Donc, enfermez-moi et torturez-moi: je n'ai en effet plus d'être.

L'infirmière a un sourire avenant et son visage n'exprime aucune surprise, ce qui soulage Marie-Christine. Ses expériences sont peut-être au fond banales.

— Vous allez voir la psychiatre, dit la femme en se levant.

Marie-Christine se retrouve dans une aire protégée par une lourde porte que l'on garde verrouillée. Elle voit un fumoir et s'y réfugie. Fumer, c'est rejeter le monde, croit-elle. Entre une grande femme aux cheveux crêpés vêtue pour une soirée. Elle lui demande une cigarette.

— Que fais-tu ici ? demande Marie-Christine.

— Oh, j'ai eu une autre crise maniaque, dit la femme, qui a effectivement le teint très blanc, comme si elle était droguée.

Marie-Christine va s'asseoir devant la porte du bureau. Un homme engoncé dans une jaquette bleue va et vient dans le couloir, les yeux vides. Le Grand Zorg est là. « Va-t'en ! » répète-t-il.

Une femme l'appelle et elle entre dans une grande pièce. Elle trouve un siège et s'assied sagement. Ce qui la frappe, c'est la beauté du paysage d'hiver qu'elle voit par la grande fenêtre. Elle croise les jambes.

— On me dit que vous ne vous sentez pas bien, commence la psychiatre.

Quel est cet exercice ? Une confession ?

Marie-Christine répète grosso modo ce qu'elle a dit à l'infirmière.

La psychiatre prend des notes.

— Quel âge avez-vous ?

— Trente ans.

— Oui, cela se peut. Vous avez tous les symptômes de la schizophrénie. Vous voyez, la maladie se déclare plus tard chez les femmes. Et dans votre cas, il y a une composante religieuse. De la paranoïa, en somme.

— Mais j'ai un ami qui a vraiment été assassiné. Et mon père m'a révélé que j'étais adoptée. Qui plus est, je serais une Juive.

— Ce sont des incidents qui auront précipité votre maladie. Mais vous voyez votre Grand Zorg depuis plus de six mois, si je comprends bien ?

— Oui.

— Eh bien, ce n'est pas normal.

— Et si c'était vrai ?

— Mais cela vous empêche de fonctionner.

— J'ai vu une psychiatre qui croyait que j'inventais mes symptômes afin d'avoir une pension.

— Oui, cela est fréquent. Mais moi je vous crois.

La femme se lève et tape dans ses mains.

— Bon, nous allons vous hospitaliser. Vous allez commencer à prendre des antipsychotiques. Retournez à la salle d'attente. On va venir vous chercher.

Marie-Christine attend sagement. Elle se persuade qu'on va la mener dans un monde meilleur, un endroit où la conscience s'amortit.

Une autre infirmière se plante devant elle.

— Veuillez me suivre. Il y a une place dans le CPC2.

Elles sortent et, à ce moment-là, une fine neige commence à tomber. C'est comme si un rideau tombait sur le monde parce qu'un nouvel acte se prépare.

On lui fait visiter le centre : douches, pas de vrais miroirs, salle à manger, salle de télévision, chambres.

Elle devra partager sa chambre avec une femme rondelette qui ne la salue pas.

— Habituellement, on porte une jaquette au début, mais comme vous coopérez, vous pouvez garder vos propres vêtements. Mais souvenez-vous : il faut acquérir des privilèges. Pour l'instant, vous n'avez pas le droit de sortir.

Marie-Christine croit que cela est juste et bon. Comme dans une geôle, se dit-elle. Et son crime est d'avoir fui le réel.

Elle erre dans les couloirs, harcelée par la voix de S. Au moins, elle ne pourra pas se regarder dans une glace : elle ne verra plus les petits personnages. Mais le Grand Zorg flotte devant elle.

Vient l'heure du repas. Une trentaine de patients se réunissent dans la salle. Elle aurait volontiers bu du vin, mais elle mange tout de même avec appétit. (SEM : temps arrêté, pense t-elle.) Elle croit exister dans un moment éternel, elle se replie sur elle-même, elle se compare à un coquillage involuté.

Chaque patient a un infirmier qui lui est affecté. Dans son cas, il s'agit d'un jeune homme maigre aux cheveux longs appelé François.

— Combien de temps devrai-je rester ici? s'informe-t-elle.

— Le séjour est en général d'un mois.

Elle a un choc. Elle ne pensait rester dans cet endroit que quelques jours.

— Mais ce n'est pas possible ! proteste-t-elle.

— C'est ainsi, dit François en souriant.

Elle croit voir le swastika sur le front du jeune homme et elle ne sait pas pourquoi, mais elle éclate de rire.

À 21 h, c'est la distribution des médicaments. Le patient reçoit sa ration et il avale le tout comme on accepte l'hostie. Elle hésite un moment, puis renverse la tête : de gros comprimés voyagent jusque dans son estomac. Elle s'attend à un engourdissement, certaine qu'elle va mourir de façon symbolique.

Elle a demandé à rencontrer François.

— Es-tu un NaZ ? s'enquiert-elle.

Il a un hochement de tête lénifiant. Il porte un épais pull aux manches très longues qui le dissimule entièrement.

— Tu veux dire un nazi ? Dans quelques jours, grâce aux médicaments, tu comprendras la nature de ton délire.

— Et si le mal l'emportait sur le bien ?

— Non, cela ne se peut pas. Je suis d'un optimisme incurable. Vois-tu, ta schizophrénie te porte à considérer le monde sous un mauvais angle. Tu es sans doute très sensible. Mais la justice existe, crois-moi.

— Mais Sarrasine, lui, a bêtement été assassiné, ainsi que Prométhée, ainsi que six millions de Juifs.

— Il n'y aura pas de troisième guerre mondiale, crois-moi. Tu peux dormir en paix.

— Des gens meurent. Mais Sy m'a sauvé la vie.

— Qui est Sy ?

— Un homme. Oui, un homme que j'ai aimé. Et si je faisais une fugue ?

— On te rattraperait. Et tu devrais porter la jaquette durant deux semaines.

— Je rêve d'être une sainte. Comme Sy.

— Contente-toi de trouver ton petit bonheur. Quand tu iras mieux, tu comprendras tout de la logique qui mène à la santé.

— Mais la santé n'est-elle pas une dictature imposée aux Judéioformes ?

— Allez, va dormir.

Elle sent en effet qu'elle a la tête lourde.

Elle se glisse sous les draps et regarde un moment sa voisine qui dort la bouche ouverte. Le Grand Zorg est là, mais la voix de S s'est atténuée et elle ne distingue plus les mots qu'on lui chuchote à l'oreille.

Elle s'endort sur le ventre, le visage enfoui dans l'oreiller.

Au bout de trois jours, elle rencontre enfin un autre psychiatre. C'est un homme trop calme du nom de Collins. Il a des yeux d'un vert clair, des yeux très froids, et il parle avec lenteur.

— Vous êtes atteinte de paranoïa. Le fantasme de guerre est commun.

— Mais des enfants lançaient des pierres sur ma fenêtre. Et une femme m'a traitée de sale Juive.

— Bien, bien. Et vous voyez des nazis, si j'ai bien compris.

— Ce sont les NaZ, une version plus raffinée du nazi. Ils cherchent à éliminer des Judéioformes. Ils se sont infiltrés dans toutes les institutions sociales.

— Et croyez-vous être pourchassée par le FBI ?

— J'avoue que non.

— Bien. Il y a au moins cela. Et vous croyez voir Dieu ?

— Je ne sais plus. C'est plus comme une image.

— Je vais augmenter la dose de Zyprexa. Je vous garantis que dans quelques jours, vous reviendrez à la réalité. Vous souffrez d'une schizophrénie décompensée.

— Ce qui veut dire ?

— Que vous avez touché le fond du baril.

— Mais la réalité est-elle une bonne chose ?

— Oui. On va vous aider à voir des choses qui existent vraiment.

Elle sort de la petite salle de consultation avec soulagement. Des patients en jaquette regardent la télévision sans bouger. Un homme plus âgé fait les cent pas en marmottant.

Elle s'installe dans la petite salle à manger et ose lire le journal : il n'y est question que de politique. Nulle part voit-elle le mot « guerre ».

Elle se lève, agréablement étourdie. Les patients ont le droit de faire des appels téléphoniques à l'extérieur. Elle s'installe dans une cabine et compose le numéro de Zoé.

— Allo, fait Zoé.

— C'est moi, Marie-Christine.

— Mais où es-tu ?

— Je suis à l'hôpital psychiatrique.

Suit un long silence.

— J'ai des hallucinations depuis quelques mois, avoue-t-elle.

— C'est vrai que tu ne semblais pas être dans ton assiette. Mais cette histoire de meurtre aurait déstabilisé n'importe qui. J'ai parlé à Marie Archambault et elle serait prête à te suivre pour ton mémoire.

— Merci.

— Je vais venir te voir. As-tu besoin de quelque chose ?

— Je n'ai qu'une brosse à dents.

— Bon, je sais quoi t'apporter. À plus.

— Oui, je t'attendrai.

La voix de S s'atténue et le Grand Zorg, lui, est presque transparent. Elle s'assied près de la fenêtre et regarde la neige tomber. Ses souvenirs se dissipent. Si elle le veut, un jour elle ne se souviendra de rien.

Zoé s'assied devant elle et son veston moulant se tend sur son buste. Elle a un sac avec un cahier et des stylos. Et elle dépose sur la table une trousse de maquillage.

— Tiens, un peu de coquetterie ne fera de mal à personne, déclare-t-elle avec un sourire forcé.

Et Marie-Christine lui dit tout : l'apparition du Grand Zorg, le groupe des Illuminaires, son père qui lui a révélé qu'elle était adoptée et le miroir au fond duquel paraissait Rob.

— Cette histoire avec la docteure Samson m'aurait rendue folle, moi aussi. Je crois que tu dois faire table rase du passé. Ton faux père est un bon à rien. Quelle idée de t'envoyer ces cartes postales ! Bon, tu es Juive, mais qu'importe, car tu deviendras athée. Quant à Sy, tu l'oublieras. Tu as ton mémoire à terminer, quitte à aller faire un doctorat dans une autre ville. Pourquoi pas à Vancouver ?

— Oui, je l'avoue : les choses se replacent lentement.

— Je te le garantis : tu es en sécurité. Tu as vécu trop de stress, c'est tout. On te plaint d'avoir eu à côtoyer Kathy Samson.

— C'est vrai ? demande Marie-Christine d'une voix faible.

— Oui.

Zoé se lève.

— Bon, j'y vais. Mais je reviendrai à la fin de la semaine. Prends ce temps pour te recentrer. Et imagine que ces médicaments sont comme une bouffée de haschisch. Profite de ton séjour, c'est tout.

— Merci, Zoé.

Une fois Zoé partie, elle regarde autour d'elle : un homme parle seul, une femme éclate de rire, un autre homme marche en faisant constamment le signe de croix.

Elle est peut-être chez elle ici.

L'AMOUR EST UNE PARABOLE

« MON AMOUR POUR SY S'ÉRODE PEU À PEU. Et j'accepte le fait que je suis Juive. Je ne peux que me ménager. Voilà douze jours que je suis à l'asile de fous (j'aime cette expression vieillotte qui vient avec toutes sortes de clichés : cris, camisoles de force, hébétement) et j'ai cessé de voir le Grand Zorg. De plus, la voix de S ne me harcèle plus. L'écrivain puise son inspiration dans le malheur, sans doute. Quand il écrit, il meurt, comme une abeille qui pique un humain. Mais je ne m'inquiète pas : la folie n'intéresse plus personne. Et ma folie ne se soldera pas par ma mort. Je ne suis pas un Sarrasine. Le drame ne me tente plus, sans doute à cause de ces médicaments qui m'engourdissent. Oui, l'amour est une parabole : il est faux et sublime. Suis-je une femme qui a raté sa vocation de femme ? Est-ce pour cela que je suis ici ? J'ai oublié l'horreur de l'assassinat de Prométhée. Et j'ai renié mes visions. C'est ce que j'ai dit au psychiatre, qui a eu l'air satisfait. Je ne rêve plus, mais je m'ennuie du vin. J'écris dans l'aire commune. J'y suis en général seule, sauf le matin, lorsqu'une infirmière aide un jeune homme à se raser. On fait des fous des sortes d'anges. Lorsque je croise les bras, je sens mes seins et je me dis qu'ils sont de trop.

« Le livre a la vertu de se refermer, mais la vie se déroule jusqu'à épuisement du mouvement.

« Et je m'épuise. »

SEULE

ELLE A ESSAYÉ D'APPELER ZOÉ une dizaine de fois, mais elle est tombée sur son répondeur.

Elle comprend que Zoé l'a abandonnée. Elle est désormais toute seule.

On lui permet enfin de faire des petites promenades. Elle va s'acheter des cigarettes. Elle marche en entendant la neige crisser sous ses pieds. Elle fume avec acharnement. Et, en effet, le monde ne lui semble plus aussi menaçant. Elle sourit en pensant au Grand Zorg qui flottait dans un coin de son appartement. Non, il n'y a pas de pogrom, les Juifs se portent bien, la réalité est même banale. La pauvreté l'a sans doute minée. Oui, elle terminera son mémoire, mais après, elle trouvera peut-être un travail régulier, n'importe quoi, de quoi payer les factures.

C'est d'ailleurs ce qu'elle dit à François. Il sourit et lui tend un petit gobelet contenant des médicaments. Et elle avale le tout avec docilité.

DA CAPO

ELLE S'EST HABITUÉE À L'HÔPITAL. Là, on est délivré de ses obligations. Lorsque François lui annonce qu'elle aura son congé le lendemain, elle s'empêche de pleurer.

Elle a une dernière consultation avec le psychiatre.

— Alors, voyez-vous encore le Grand Zorg ?

— Non.

— Pensez-vous qu'il y aura la guerre ?

— Non.

— Entendez-vous des voix ?

— Non.

— Croyez-vous être persécutée ?

— Plus maintenant.

— Nous vivons dans un monde serein, croyez-moi. Mais il y en a toujours qui prédisent l'apocalypse. C'est dans la nature humaine. Il n'y aura plus de pogrom. Satan n'est qu'une invention. Oui, la violence existe, mais elle est épisodique. Ce qui est arrivé à votre ami est terrible. Mais les coupables ont été arrêtés. La justice s'occupe de tout. Il faut faire confiance à la vie. Mais vous devrez prendre vos médicaments pour éviter une rechute. N'oubliez pas qu'il faut vous occuper. Vous pourriez finir votre mémoire.

— Oui, docteur, dit-elle, obéissante.

— Nous nous reverrons dans un mois à la consultation externe. Si vous vous adaptez mal à la vie normale, nous pourrons avancer notre rendez-vous. Surtout, ne paniquez pas si vous dormez mal. Mais la schizophrénie se traite bien de nos jours. Oubliez ces histoires lugubres de satanisme et de nazisme. Ne vous encouragez pas dans l'illusion. Si ça ne va pas, nous pourrons ajuster vos doses de médicaments.

— Merci, docteur, dit-elle en clignant des yeux.

Le psychiatre a une allure si banale qu'elle n'est pas sûre qu'elle le reconnaîtrait si elle le croisait dans la rue.

Il n'a pour ainsi dire pas de visage.

Voilà peut-être ce qu'est la santé : accepter de n'être personne.

Elle ne pense plus aux lettres et elle n'est plus obsédée par *S/Z*. Elle fait maintenant de cet essai une œuvre théorique bien menée, sans plus.

Elle a rangé ses affaires dans le sac que François lui a déniché. Trente jours à l'asile : elle n'est plus la même. Mais elle est heureuse de ce changement.

Elle ne croit plus à rien, ce qui la soulage.

Elle se dit même qu'elle est enfin libre.

Elle avance d'un pas déterminé, elle croit être en sécurité dans le monde, elle soupire d'aise, elle rit, même, car ses pieds glissent sur le sol.

François la mène vers la sortie.

Il tend le bras pour lui serrer la main, un geste d'affection.

C'est alors que le pull de François se relève.

Marie-Christine croit s'effondrer.

Elle voit sur le poignet de François le tatouage d'un soleil noir.

PsychoZe
a été composé en Chronicle Text
grade 2 11 sur 14 et achevé d'imprimer
sur les presses de l'imprimerie HLN
à Sherbrooke (Québec) le 28 janvier 2016
pour le compte d'Annika Parance Éditeur

PsychoZe a été imprimé sur du papier Rolland Enviro100 Édition Antique (blanc) 110 M. Par rapport à son équivalent vierge, l'utilisation de ce papier a permis d'économiser 31 390 litres d'eau et d'éviter la production de 369 kg de déchets et l'émission de 1 248 kg de CO_2.